이기는 습관을 기르는법

초일류기업 S社 20년 근무 노하우

이기는 습관을 기르는법
초일류기업 S社 20년 근무 노하우

발 행 | 2023년 11월 27일
저 자 | 박경원
펴낸이 | 한건희
펴낸곳 | 주식회사 부크크
출판사등록 | 2014.07.15(제2014-16호)
주 소 | 서울특별시 금천구 가산디지털1로 119 SK트윈타워 A동 305호
전 화 | 1670-8316
이메일 | info@bookk.co.kr

ISBN | 979-11-410-5506-6

www.bookk.co.kr

이기는 습관을 기르는법

초일류기업 S社 20년 근무 노하우

박경원 지음

CONTENT

머리말

이기는 습관을 기르는 법은 초일류기업 S社에서 근무하며 얻은 본인의 경험을 소개하는 것이다. S社 직원들의 일하는 방식, 업무 환경에 대해 궁금해 하는 사람들을 위해 준비했다. S社 입사를 꿈꾸는 취업 준비생 들은 물론 글로벌 초일류기업 S社의 일하는 방식이 궁금한 사회 초년생들을 위해 도움이 되기를 바란다.

실제 저자 역시 S社에 입사하기 전 다른 대기업 계열 회사에서 사회 생활을 시작하며, 초일류기업 S社의 일하는 방식에 대한 궁금증이 많았다. 하지만, 언론에 노출되는 S社에 대한 보도 기사 외에 실제 어떻게 의사 결정이 이루어지고, 어떤 방식으로 업무를 추진하는지에 대한 내용은 쉽게 접하기 어려웠다.

S社 국내 영업 마케팅 사례를 소개한 '이기는 습관'이란 책이 있다. 그 책을 쓰신 분이 S社에서 저자가 처음 함께 근무했던 팀장님이다.

S社 20년 근무를 통해 체득한 실제 S社의 업무 사례를 소개하고 저자가 직접 터득한 비즈니스 노하우를 30여 가지 소개하고자

한다.

지금은 경력 사원 채용이 많이 늘었지만, 20년전 S社에 경력 사원으로 입사했을 당시만 해도 조직에서 살아 남는다는 것이 최선의 목표라 생각했다.

S社는 입사 인터뷰부터 남달랐다. 미국에서 석사 과정을 공부하는 중 미국 뉴저지 S社 사무실에서 취업 인터뷰에 참가했다. 당시 이공계 석·박사 모집요강을 보고 무작정 인터뷰 장소를 찾아가 기다렸다.

인문계는 모집 계획도 없었다. 국내에서도 생각하기 어려운 일인데 미국 뉴저지 S社 사무실에 비행기를 타고 날아가 인터뷰 장소에서 무작정 기다리다 인터뷰를 한다는 것이 지금 와서 다시 생각해봐도 무모한 일이었다.

하지만, 결과는 좋았다. 당시 S社는 국내 오프라인 매장에 대한 대대적인 혁신을 계획하고 있었다. S社에서는 오프라인 매장을 전국에 최적으로 배치하는 설계와 신규로 매장을 개설 시 예상 성과를 예측할 수 있는 모델링이 필요했다.

S社 벤치마킹이 늘 궁금했던 사회 초년 시절의 기억을 바탕으로 학연, 혈연, 지연이 없는 건강한 조직에서 일해 보고 싶다는 생각에 20년 생존기는 그렇게 시작했다.

S社에서 경력사원의 핸디캡을 극복하고자 먼저 찾은 S社 생존 비결은 실력이었다. 객관적인 실력을 갖추는 방법으로 박사 학위에 도전했다.

업무에 지장을 받지 않고 무사히 수업과정을 마칠 수 있도록 주말에 강의를 들을 수 있는 학교를 찾았다. 논문도 업무와 연관된 주제를 선정하여 5년 만에 경영학 박사 학위를 받았다.

강의 경력도 필요했다. 남들이 부러워하는 S社에서 업무와 강의를 겸하는 것이 예삿일은 아니었다. 그럭저럭 10학기 강의 경력도 쌓았다.

S社에서 기획 업무를 20년간 담당하며 쌓은 노하우를 바탕으로 시장의 트렌드를 읽고, 새로운 사업 기회를 찾아, 조직원들에게 동기를 부여하고, 조직이 기대하는 성과를 만들어 내는 일, 전에 없던 프로세스를 고민하고 새로운 도전을 기획하는 일을 담당해

왔다. 초일류기업 S社의 사례가 각자의 특수한 상황에 답을 제시해 줄 수는 없지만, 답을 찾는 여정에 때로는 말동무처럼 때로는 이정표처럼 활용될 수 있었으면 하는 바람에서 S社 업무 노하우를 소개하고자 한다.

저자소개

저자는 현재 S社에서 국내 시장 마케팅, 신규사업기획 업무 등을 담당한다. 고려대학교 신문방송학과를 졸업하고 미국 국제경영대학원(Thunderbird) MBA 와 University of Florida 부동산학 석사학위(MARE)를 Dual Degree 로 획득했다. S 社에 입사 후 숭실대학교 벤처중소기업학과에서 경영학 박사학위(Ph.D.)를 받았다.

주요 관심 분야는 벤처중소기업 분야다. 프랜차이즈, 스타트업 기업들에 대한 경영과 마케팅 업무 지원을 위해 현재 경영지도사와 공인중개사 자격을 취득하고 활동 중이다. 저서로는 중소기업경영론(학현사), 프랜차이즈 슈퍼바이징 원론(인플로우) 등이 있다. 주요 논문은 마케팅과학연구, 벤처경영연구, Journal of Service Science 등에 발표되었다.

Chap 1. “일잘러”가 되는 방법

제1화 Trend vs Fad

우리는 또 다른 문명의 교체기에 있다. 소위 '폰을 든 문명'이라는 의미의 포노사피엔스의 출현이다. 스마트폰을 손에 쥔 신인류, 스마트폰을 신체의 일부처럼 사용하는 포노사피엔스의 등장으로 세상의 모든 문화, 경제, 사회, 정치가 변화하고 있다. 글로벌 5대 기업이 모두 포노사피엔스와 연관된 사업을 영위하는 업체들이다.

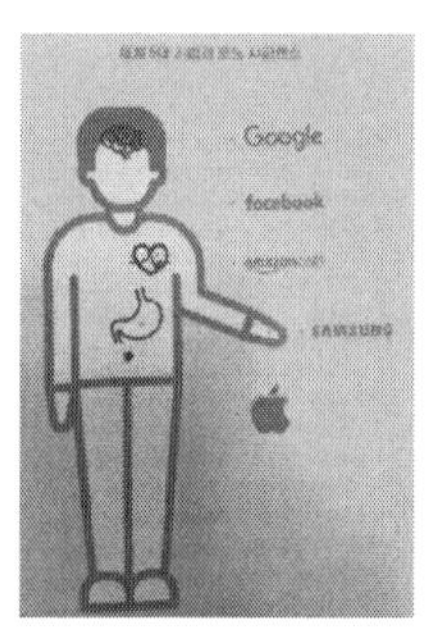

< 포노사피엔스와 연관된 사업[1]>

---

1 네이버 블로그(https://blog.naver.com/5for10)

제품이나 서비스를 판매해야 한다면, 성공하는 비결은 돈과 사람이 모이고, 지나는 정확한 동선 상에 상품을 진열하고 사람들의 관심을 모으는 것이다. 세상이 변화하는 흐름을 파악하고, 그 방향을 읽어 내는 것을 '트렌드' 라고 한다. 트렌드는 특정한 사회에서 일정한 사람들이 유사한 행동 양식이나 문화양식을 일정한 시간 동안 공유하는 '유행' 보다, 더 많은 사람들에 의해서 행해질 때 그 변화의 흐름을 말한다.

트렌드는 일시적으로 나타나는 유행 보다 좀 더 길게 유지되는 현상을 의미한다. 이런 트렌드도 일정 기간이 지나면 진부한 모습으로 퇴화해 버리거나, 사회 구성원들의 습관이 되어 버리기도 한다. 이렇게 전체 사회 구성원의 습관이 되어 버린 변화는 비교적 영속성을 갖게 되며 우리는 비로소 이런 모습을 문화라고 부르게 된다.

한 때는 각광받던 사업들이 유행처럼 사라지고, 새롭게 부상하는 소위 '뜨는 사업'들이 새롭게 변화하고 있다. 오프라인 유통이 힘을 잃고, 포노사피엔스 신인류가 모이고, 머무는 앱과 웹의 모바일 세상이 새로운 트렌드다.

제 2화 트렌드를 파악하고 비즈니스에 활용하는 법

트렌드로부터 비즈니스 통찰력을 읽고 추출하는 데는 데이터 분석, 관찰 및 전략적 사고가 결합되어야 한다. 트렌드를 읽고 비즈니스 통찰력을 도출하는 방법에 대한 단계별 가이드는 다음과 같다:

1) 데이터/정보 수집

우선 관심 있는 트렌드와 관련된 데이터 및 정보의 출처를 파악하는 것부터 시작한다. 이러한 출처에는 언론 보도, 시장 조사 보고서, 업계 간행물, 소셜 미디어 분석, 고객 피드백 및 내부 회사 데이터도 포함될 수 있다.

다음은 데이터와 정보를 수집한다. 설문조사, 고객 리뷰, 판매 데이터, 웹 사이트 분석 또는 소셜 미디어 모니터링 도구를 활용할 수 있다. 또한, 업계 뉴스를 팔로우하거나, 관련 컨퍼런스에 참석하는 것도 좋은 방법이다. 업계의 뉴스레터나 블로그를 구독함으로써 트렌드에 대한 정보를 얻을 수도 있다.

2) 데이터 분석 및 추세 정의

트렌드를 명확하게 정의하고, 트렌드의 기원, 현재 상태, 업계 또는 시장에 미칠 잠재적 영향 등과 같은 주요 특성을 이해한다.

수집된 데이터를 분석하여 트렌드가 어떻게 나타나고 있는지 파악한다. 패턴, 고객 행동의 변화, 트렌드와 연결될 수 있는 눈에 띄는 변화를 찾는다.

데이터는 세분화할수록 더 깊이 이해할 수 있다. 예를 들어 인구통계, 행동, 위치별로 고객을 세분화하여 추세가 다른 그룹에 어떤 영향을 미치는지 확인한다.

이 때 데이터의 패턴과 이상 징후에 주의해야 한다. 추세는 비즈니스의 여러 측면에 다른 영향을 미칠 수 있으므로 분석에 철저해야 한다.

설문조사를 실시하거나 고객의 직접적인 피드백을 수집하여 트렌드가 목표 고객에게 어떤 영향을 미치고 있는지에 대한 동찰력을 얻는 것도 가능하다. 혹은 경쟁사가 트렌드에 어떻게 반응하는지를 분석한다. 이를 통해 경쟁사의 전략과 잠재적 격차 또는 비즈니스 기회에 대한 통찰력을 얻을 수 있다.

3) 시나리오 계획

팀, 직원 및 파트너와 협력하여 트렌드에 대응한 잠재적인 전략과 행동을 브레인스토밍 할 수 있다. 다양한 관점을 통해 보다 포괄적인 통찰력을 얻을 수 있다. 그 다음은 트렌드와 관련된 다양한 결과를 탐색하는 시나리오를 개발한다. 다양한 가능성에 대비하기 위해 최선의 경우, 최악의 경우, 그리고 가장 가능성이 높은 시나리오를 고려한다. 분석을 토대로 추세를 유리하게 활용하거나 부정적인 영향을 완화할 수 있는 전략과 실행 계획을 수립한다.

4) 파일럿 프로그램

본격적인 실행에 앞서 전략의 실행 가능성을 테스트하기 위해

소규모 파일럿 프로그램을 실행하는 것을 추천한다. 파일럿을 통해 트렌드와 이에 대한 비즈니스의 반응을 지속적으로 모니터링하고 트렌드가 진화할 수 있으므로 이에 대응하여 전략을 조정한다.

전략 조정을 피봇(Pivot) 이라고 한다. 피봇을 통행 더 많은 통찰력을 얻고 트렌드가 발전함에 따라 관련성과 경쟁력을 유지하는 게 핵심적인 요소이다. 피봇은 농구에서 나오는 용어로, 한 쪽 발을 바닥에 붙이고 그 발을 축으로 하여 나머지 다리가 좌우로 돌며 공을 줄 상대방을 찾는 과정을 말한다. 이것은 수립한 가설과 그 목표가 제대로 달성되지 못했을 때 어떤 방향으로 개선할 것인지에 대해 의사 결정하는 과정을 말한다. 파일럿을 통해 확인한 비즈니스 모델 상의 가정이 잘못된 것으로 드러났을 때 즉각적인 변화를 모색해야 하는 경우. 전략적 가설이 정확하다고 믿을 만큼 충분히 진전되지 않아 주요한 변경을 해야 하는 경우 혹은 제품, 전략, 성장 엔진에 대한 새롭고 근본적인 가설을 테스트하기 위해 경로를 구조적으로 수정해야 하는 경우 유용하다. 피봇을 하는 방법에 대해 살펴보면 다음과 같다.

○ 줌-인 전환(zoom-in pivot) : 유튜브(Youtube)의 경우 첫 MVP(Minimum Viable Products)는 비디오 데이트 사이트였다는 것을 아는 사람이 많지 않다. 초기 소비자들의 반응이 미미하자 서비스 중의 하나였던 영상 공유 모델을 서비스의 핵심 모델로 채택하여 성공을 거두었다.

○ 줌-아웃 전환(zoom-out pivot) : 스마트폰에서 투표 서비스 앱 개발. 그 자체 로서도 하나의 완성된 제품이지만, 사용 확장성 및 마케팅 등의 이슈로 카카오톡 같은 플랫폼의 한 기능으로 서비스를 전환하는 것이다.

○ 고객군 전환 : 서비스 오픈 시 B2C 대상 IT 교육 서비스를 제공하던 한 교육 사이트는 기업 단체 교육 고객의 니즈가 높아지자 B2B 교육 서비스 기업으로 고객군을 전환해 성공을 거두었다.

○ 고객 필요 전환 : 골동품 가게를 운영하며 가게 앞에서 샌드위치를 팔았는데, 사람들이 샌드위치 맛에 더 많은 관심을

갖자, 샌드위치 전문 매장을 만들고 프랜차이즈화해 성공하는 경우다.

○ 플랫폼 전환 : 카카오톡은 스마트폰 상에서 운영되는 메시징 서비스였으나 사용자가 늘어나고 스마트폰의 기본 서비스가 됨으로써 단순한 애플리케이션에서 플랫폼 비즈니스로 사업 방향을 전환했다.

○ 가치 획득 전환 : 가치를 획득하는 방법으로 수익모델과 같은 의미로 사용된다. 다음커뮤니케이션(www.daum.net)은 한메일 서비스를 기반으로 포털 서비스를 만들었다. 하지만 다음의 초기 서비스는 웹 미술관, 웹 에이전시였다.

○ 채널 전환 : 스마트폰 기반 게임 회사들이 앱 스토어나 안드로이드 마켓에 등록하여 직접 마케팅 하는 방식에서 카카오톡, 라인과 같은 플랫폼에 등록하여 유통 채널을 변경하거나 자체 게임 마케팅 능력을 보유한 게임 퍼블리셔와 계약을 맺고 채널을 전환하는 경우다.

○ 기술 전환 : 알루미늄으로 통신사의 필터를 만들던 한 회사는

필터를 가볍게 만들면 경쟁사간에 확실한 경쟁 우위가 있다고 판단하여 연구, 플라스틱에 도금을 하여 알루미늄이 가진 금속적 특징을 살을 수 있도록 하는 제품 개발에 성공, 보다 저렴하고 신속한 공정으로 해당 필터를 생산할 수 있게 되는 식이다.

사업을 시작하기 위해 무조건 회사를 설립하고 상품을 출시하는 것이 아니라, 고객이 가진 문제와 솔루션을 끊임없이 검증하는 작업 과정에 초점을 맞추어야 한다는 점에서 조직 내 신규 사업이든 신규 창업이든 큰 차이는 없다.

끊임없는 문제의식을 가지고 고객이 가지고 있는 불편함을 찾아서 고객의 문제점과 현재 해결하고 있는 방법 등을 먼저 알아 봄으로써 대상 고객에게 무엇을 제공해야 할지 정확히 알아 내는 게 성공의 핵심이고 이런 출발점을 바탕으로 성공의 기회가 찾아 오는 것이다.

5) 성과 지표 도출 및 영향 측정

파일럿을 바탕으로 트렌드에 대한 대응 전략의 영향을 측정할 주요 성과 지표(KPI)를 도출하고, 정기적으로 노력의 성공

여부를 평가하고 필요에 따라 개선한다.

추세와 그 영향에 대한 통찰력과 정보를 팀 및 이해 관계자들과 공유하여 조정 및 정보에 입각한 의사 결정을 한다. 트렌드를 이해하고 활용하면 비즈니스의 경쟁력을 강화하고 변화하는 시장 상황에 적응하며 새로운 성장 기회를 파악할 수 있다. 변화하는 비즈니스 환경에서 비즈니스가 너무 앞서 나갈 수 있기 때문에 트렌드 변화에 대해 진단하고 민첩하게 대응하는 능력을 키우는 것이 중요하다.

< Shark Tank Global >

미국 ABC 에서 2009 년부터 방송 중인 비즈 모델 오디션이다. 벤처기업이나 스타트업 사업가들이 자신의 사업 아이템을 들고 나오면 'Shark'라 불리는 심사위원들이 투자하는 형식으로 진행된다. 유튜브 Shark Tank Global 채널은 2023 년 11 월 기준 구독자 102 만명이다.

-위키백과-

제 3 화 비지니스 모델 캔버스

비즈니스 모델 캔버스(BMC, Business Model Canvas)는 비즈니스에 포함되어야 하는 9개의 주요 사업 요소를 한눈에 볼 수 있도록 만든 템플릿이다. 비즈니스 모델 캔버스는 새로운 사업 모형을 개발하거나 기존 사업 모형을 이해하기 위해 사용하는 경영전략 도구이다.

이 도구는 스위스 로잔대학의 예스 피그누어와 그의 제자 알렉산더 오스트왈드가 '비지니스 모델의 탄생'이란 공동저서를 통해 발표했다.

비지니스 모델이란 "하나의 조직이 어떻게 가치를 창조하고 전파하며 포착해내는지를 합리적이고 체계적으로 묘사해 낸 것이다"라고 정의했다. 비즈니스 모델 캔버스란 말뜻 그대로 한 장에 비지니스 모델의 핵심 구성 요소를 도식화한 것이다. 이는 비지니스를 통해 어떻게 고객 가치를 창출하고, 어떻게 수익을 창출하는지에 대한 원리를 이해하는데 유용하다.

비즈니스 모델 캔버스는 9개의 블록으로 구성되어 있다. 고객, 가치제안, 채널, 고객관계, 핵심자원, 핵심활동, 핵심파트너십, 수익, 비용 등이다.

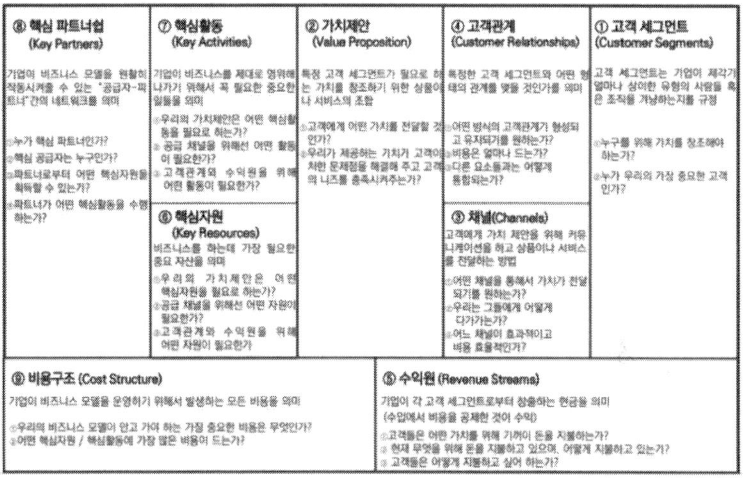

<table>
<tr>
<td rowspan="2">⑧ 핵심 파트너쉽
(Key Partners)

기업이 비즈니스 모델을 원활히 작동시켜줄 수 있는 "공급자-파트너"간의 네트워크를 의미

◎누가 핵심 파트너인가?
◎핵심 공급자는 누구인가?
◎파트너로부터 어떤 핵심자원을 획득할 수 있는가?
◎파트너가 어떤 핵심활동을 수행하는가?</td>
<td>⑦ 핵심활동
(Key Activities)

기업이 비즈니스를 제대로 영위해 나가기 위해서 꼭 필요한 중요한 일들을 의미

◎우리의 가치제안은 어떤 핵심활동을 필요로 하는가?
◎공급 채널을 위해선 어떤 활동이 필요한가?
◎고객관계와 수익원을 위해 어떤 활동이 필요한가?</td>
<td rowspan="2">② 가치제안
(Value Proposition)

특정 고객 세그먼트가 필요로 하는 가치를 창조하기 위한 상품이나 서비스의 조합

◎고객에게 어떤 가치를 전달할 것인가?
◎우리가 제공하는 가치가 고객이 처한 문제점을 해결해 주고 고객의 니즈를 충족시켜주는가?</td>
<td>④ 고객관계
(Customer Relationships)

특정한 고객 세그먼트와 어떤 형태의 관계를 맺을 것인가를 의미

◎어떤 방식의 고객관계가 형성되고 유지되기를 원하는가?
◎비용은 얼마나 드는가?
◎다른 요소들과는 어떻게 통합되는가?</td>
<td rowspan="2">① 고객 세그먼트
(Customer Segments)

고객 세그먼트는 기업이 제각기 얼마나 상이한 유형의 사람들 혹은 조직을 겨냥하는지를 규정

◎누구를 위해 가치를 창조해야 하는가?
◎누가 우리의 가장 중요한 고객인가?</td>
</tr>
<tr>
<td>⑥ 핵심자원
(Key Resources)
비즈니스를 하는데 가장 필요한 중요 자산을 의미

◎우리의 가치제안은 어떤 핵심자원을 필요로 하는가?
◎공급 채널을 위해선 어떤 자원이 필요한가?
◎고객관계와 수익원을 위해 어떤 자원이 필요한가</td>
<td>③ 채널(Channels)
고객에게 가치 제안을 위해 커뮤니케이션을 하고 상품이나 서비스를 전달하는 방법

◎어떤 채널을 통해서 가치가 전달되기를 원하는가?
◎우리는 그들에게 어떻게 다가가는가?
◎어느 채널이 효과적이고 비용 효율적인가?</td>
</tr>
<tr>
<td colspan="2">⑨ 비용구조 (Cost Structure)
기업이 비즈니스 모델을 운영하기 위해서 발생하는 모든 비용을 의미

◎우리의 비즈니스 모델이 안고 가야 하는 가장 중요한 비용은 무엇인가?
◎어떤 핵심자원 / 핵심활동에 가장 많은 비용이 드는가?</td>
<td colspan="3">⑤ 수익원 (Revenue Streams)
기업이 각 고객 세그먼트로부터 창출하는 현금을 의미
(수입에서 비용을 공제한 것이 수익)

◎고객들은 어떤 가치를 위해 기꺼이 돈을 지불하는가?
◎현재 무엇을 위해 돈을 지불하고 있으며, 어떻게 지불하고 있는가?
◎고객들은 어떻게 지불하고 싶어 하는가?</td>
</tr>
</table>

< 한국창업보육협회 교재 >

이는 Who, What, How의 관점에서도 설명될 수 있다. Who는 기업이 생산하는 제품과 서비스의 소비 대상인 고객, 고객과의

커뮤니케이션 전달 방식을 설명하는 채널, 고객 관계 형성 및 유지 방법을 나타내는 고객 관계로 구성된다. What은 고객이 쥐고 있는 문제를 해결하거나 고객의 니즈를 충족시키기 위한 가치 제안을 들 수 있다. How는 필요 자원 및 전략을 의미하며, 필요한 자산을 의미하는 핵심자원, 필요한 실무 활동인 핵심활동, 특정 활동 및 자원을 외부에 위탁하는 핵심파트너로 구성된다. 마지막으로 재무 영역인 수익과 비용 영역으로 구성된다. 비지니스 모델은 정적인 영역이 아닌 활동적인 영역이다. 사업 수행 과정에서 부단히 변화하는 것이다. 하지만, 사업 초기 경쟁력 있는 사업 모델을 확보하는 것이 경영 과정의 수많은 변화에 대비하기 위한 최선의 준비가 될 수 있다.

1) 고객 (Customer Segmentation)

누구를 위하여 가치를 창조해야 하는가, 누가 우리의 가장 중요한 고객인가를 정의하는 것이다. 모든 고객을 만족시킬 수는 없다. 우리가 목표로 하는 고객군은 누구이고 어떤 문제/고민/필요를 가지고 있는지에 대해서 정의하는 것이다.

고객 세그먼트는 단순히 한 사람 한 사람의 고객을 지정하는 것이 아닌 특정 공통점을 가지고 있는 고객 집단으로 이해를 해야 한다. 고객 공통점은 특정 유통 채널을 이용하거나, 특정 문제/고민/필요에 대해 보다 심각하게 생각하거나 특정 지역에 거주하는 등 특정 기준으로 표현될 수 있는 모든 것을 말한다. 다른 기업이 진입하지 않은 틈새를 찾아내는 것이 핵심이다.

2) 채널 (Channel)

고객에게 가치를 전달하기 위해 고객과 소통하고 제품과 서비스를 전달하는 방법을 선택하는 것을 의미한다. 고객은 어떤 채널을 통해 전달받기를 원하는가, 우리는 그들에게 어떻게 도달할 것인가, 어떤 채널이 가장 비용 효과적인가를 고려해야 한다. 채널을 고려할 때 대부분 우리 제품/서비스를 고객이 어디에서 구매하는가에 초점을 맞추고 고민하는 경향이 있는데, 사실 진짜 고객 채널을 고민하고 전략을 수립하기 위해서는 앞뒤 단계를 모두 포괄해야 한다. 즉, 상품이나 서비스에 대한 고객의 이해도를 어떻게 끌어올릴 것인가, 고객이 가치 제안을 제대로 평가할 수 있도록 어떻게 도울 것인가, 어떻게 하면 고객이 더욱 원활하게 상품이나 서비스를 구매하게 할 것인가, 어떠한 방법으로 고객에게 가치 제안을 전달할 것인가, 판매 이후 구매 고객을 어떻게 지원할 것인가에 대한 종합적인 계획이 필요하다.

3) 고객 관계 (Customer Relations)

어떻게 고객과 상호작용을 할 것인가를 결정하는 것이다. 고객 관계를 통해 얻고자 하는 것이 무엇인가를 결정할 필요가 있다. 신규 고객을 확보할 것인지 기존 고객과의 관계를 개선할 것인지에 따른 처방은 달라져야 한다. 또한, 특정한 고객 세그먼트와 어떤 형태의 관계를 맺을 것인가에 대한 결정이 필요하다. 고객과 관계를 맺는다는 것은 처음 방문한 방문자를 우리 사이트 회원으로, 우리 사이트 회원을 우리 상품/서비스 구매자로, 우리 상품/서비스 구매자를 반복 구매 충성자로 만드는 것으로 이해하면 된다. 고객관계를 형성하는 궁극적인 목표는 '고객을 우리 브랜드의 팬으로 만드는 것'이다. 특정 고객 세그먼트와 고객관계를 형성하는 방식은 개별 어시스트 (예 :

콜센터, 이메일 고객센터 등), 매우 헌신적인 개별 어시스트 (예 : 프라이빗 뱅킹 서비스, 전용 기사 서비스 등), 셀프서비스 (예 : 키오스크, FAQ 페이지 등), 자동화 서비스 (예 : 고객 데이터 기반으로 고객 취향에 맞는 큐레이션 서비스 등), 커뮤니티 (예 : MS의 Tech community, Nike Mania, 중고나라 등), Co-Creation (예 : YouTube는 고객 스스로 댓글, 평점, 더 나아가 크리에이터로써 활동 등 콘텐츠를 소비하는 동시에 제작) 등 을 고려할 수 있다.

4) 가치 제안 (Value Proposition)

고객의 관점에서 니즈를 충족시키는 방법을 의미한다. 명확한 가치 제안을 위해서는 목표고객 또는 고객층, 고객에게 주어지는 혜택, 동종 산업 경쟁자들보다 더 탁월하게 제공할 수 있는 이유가 필요하다.

특정한 고객 세그먼트가 필요로 하는 가치를 창조하기 위한 상품이나 서비스의 조합을 의미한다. 가치 제안을 정리할 때는 단순히 우리가 제공하는 모든 상품이나 서비스를 열거하는 것보다는 앞서 정의한 목표 고객 세그먼트가 지니고 있는 가장 큰 문제/필요에 대해 우리 만이 차별적으로 해결해 줄 수 있는 방법을 정의하고 정리하는 것이 필요하다. 고객 세그먼트가 가치로 생각할 수 있는 요소의 예는 새로움, 퍼포먼스, 커스터마이징, 디자인, 브랜드 지위, 가격, 비용 절감, 리스크 절감, 접근성, 편리성, 유용성 등을 들 수 있다.

5) 핵심 자원 (Key Resources)

우리의 가치제안을 위해 어떤 자원이 필요한가, 공급채널을 위해서는 어떤 자원이 필요한가? 에 대한 준비가 필요하다. 비지니스 모델 별 상이한 자원 형태가 필요하다. 자본 집중적인 사업도 있고 유능한 인력이 핵심인 경우도 있다. 직접 자원을 확보하거나, 다른 곳에서 빌려 쓸 수도 있다. 이에 대한 계획을 수립하는 것이 핵심 과제이다.

6) 핵심 활동 (Key Activities)

우리의 가치제안은 어떤 핵심 활동을 필요로 하는가, 공급 채널을 위해서 어떤 활동이 필요한가에 대한 답을 찾아야 한다.

매출 구조 유지에 중요한 역할을 계획하는 것이다. 고객은 기업의 활동 보다는 자신에게 제공되는 가치에만 관심을 갖는다. 따라서 핵심 활동은 고객 가치를 어떻게 창출할 것인가에 초점을 맞추어야 한다.

7) 핵심 파트너십 (Key Partners)

비즈니스 모델을 원활히 작동시켜줄 수 있는 공급자-파트너 간의 네트워크를 의미한다. 파트너십의 유형은 비경쟁자들 간의 전략적 동행, 경쟁자들 간의 전략적 파트너십(Coopetition), 새로운 비즈니스 개발을 위한 Joint Venture, 안정적 공급을 확보하기 위한 '구매자-공급자' 관계 등을 생각해 볼 수 있다.

8) 수익 (Revenue Stream)

고객들은 어떤 가치를 위해 기꺼이 지불하는가, 현재 무엇을 위해 어떻게 지불하고 있는가, 고객은 어떻게 지불하기를 원하는가 하는 것이 핵심 질문이다. 우리가 고객 세그먼트의 문제 해결/요구 충족을 위해 제공하는 가치 제안을 통해 어떻게, 얼마나 돈을 받을 수 있는지 계획하는 단계이다. 다수 수익원

유형만 정의하는 것이 아니라, 각 수익원별 구체적인 가격/혹은 수수료율까지 고민하는 것이 필요하다.

9) 비용 구조 (Cost Structure)

가장 중요한 비용 항목은 무엇인지, 가장 많이 드는 비용 항목은 무엇인지, 예상 총 비용은 어떻게 되는지를 구체적으로 사전에 계획하고 분석하는 것을 의미한다. 비용은 크게 고정비와 변동비로 나눠서 각 비용 별로 어떤 비용이 소요되는지 항목과 크기를 고민하는 것이 필요하다. 이러한 비용은 주로 핵심 자원 또는 핵심 파트너를 기준으로 분류하고 계산할 수 있어야 한다. 이 때 어떠한 핵심활동에 가장 많은 비용이 소요되는지 판단하고 이를 절감할 수 있는 방안도 함께 고려할 필요가 있다.

제 4화 신규사업기획

일반적으로 신규 사업을 기획하고 추진하는 과정은 아래 표처럼 진행한다. 하지만 소기업이나 스타트 업, 소상공인 입장에서는 이런 프로세스를 가져가는 것이 어려울 수 있다. 인력과 자금이 부족한 상태이기 때문이다. 그렇기에 규모가 작은 업체나 스타트 업 입장에서는 약식으로 단순화하여 조사, 기획을 추진하게 될 수밖에 없다.

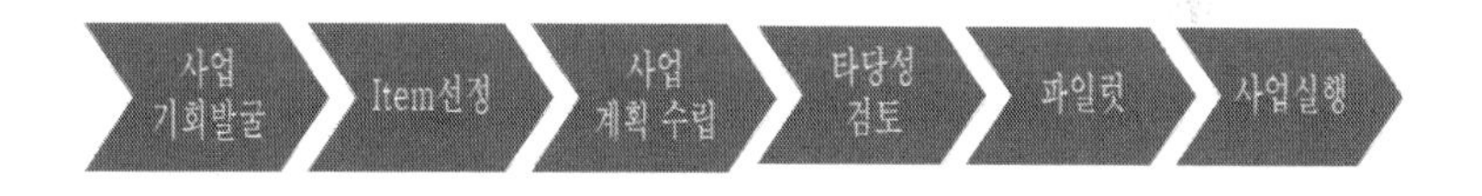

< 신규 사업 기획 프로세스 >

1) 사업 기회 발굴

신사업 기획을 위한 첫번째 단계는 사업 기회 발굴이며, 사업 기회 아이디어를 탐색하는 활동을 의미한다.

정보수집, 자료조사, 사내외 제안, 지시사항, 전문가 면담, 토론 등의 방식을 통해서 사업기회 아이디어를 탐색한다. 주의할 점은 아이니어 탐색 단계이므로 심층 분석을 지양하고 사업기회를 빠르게 포착하는 방향으로 업무를 수행해야 한다.

2) Item 선정

사업 기회 발굴 단계에서 발굴된 아이디어는 엑셀이나 DB화해서 관리하도록 한다. 자사에서 영위하는 사업의 핵심, 인접, 신규 사업에 대해서 가치를 분석하여 가치 창출을 위한 신규 사업 기회를 탐색한다.

여기서 핵심 사업은 자사에서 정의한 중점 사업이며, 인접 사업은 핵심 사업에 속해 있지 않으나, 인접해 있어서 핵심 사업으로 편입 가능성이 높은 사업을 의미한다. 유명한 일화로 핵심 사업에 대한 철학이 응축된 “업의 개념”에 대해 아래 사례가 회자된다.

회장은 어느 날 계열 호텔 사장을 불러 물었다.

"호텔업의 본질은 무엇입니까?" "네 서비스업입니다" 라고 사장이 답하자, 회장은 다시 생각해 보고, 재논의하자고 지시했다. 사장은 전세계 주요 호텔들을 깊이 조사한 후, 회장을 다시 만났다. "호텔업의 본질은 부동산업입니다. 왜냐하면 입지에 따라 고객들이 달라지고 그에 따라 서비스가 달라지니 그 본질은 부동산입니다."

회장은 흡족해 하며 그 본질에 맞게 사업 방향성, 전략, 서비스, 인사 등을 추진하라고 말했다. '업의 본질'에 대한 끝없는 고민이 요구된다.

이처럼 사업 성공의 핵심은 자기 사업의 본질을 꿰뚫는 데 있다. 하지만 이 본질은 생물처럼 진화 발전한다. 과거 석유 기업이었던 BP는 이제 해상풍력산업으로 업의 성격을 바꿨다. 국내 정유3사도 전기충전업으로 변신하고 있다. '업의 본질' 진화에 실패하면 어제 오늘의 시장지배자도 내일 도태될 수 있기 때문이다.

또한, 21세기 접어들어 이종 산업간 합종연횡이 빠르게 촉진된다.

이에 따라 산업의 수직관계, 전후방 효과, 핵심 역량 등이 바뀐다. 경쟁 판도도 바뀐다. 예컨대 테슬라는 이제 자동차 산업을 게임을 즐길 수 있는 플랫폼으로 규정한다. 기아자동차는 이제 '자동차'를 버리고 미래 모빌리티 산업으로 이동하고 있다. 이제 전통적인 음반, 영화, 게임업체들은 동종 섹터 내 경쟁사가 아닌 자동차 회사와 한판 승부를 벌여야 할 것이다.

핵심 사업에 대해 라인 확장, 전방 확장, 후방 확장 등을 검토해서 신규 사업 아이디어를 발굴할 수 있다. 이 때 필요한 것이 잠재 경쟁자의 비지니스 모델을 벤치마킹 하는 것이다. 분석 결과를 바탕으로 자사와 잠재 경쟁사의 비지니스 모델 분석을 통한 GAP 분석이나, 신규 사업을 위한 Value Chain분석을 통해 사업을 위한 필요 사업 역량을 점검해 볼 수 있다.

구분	설명 및 사례
라인 확장	한 기업이 동일한 브랜드명을 동일한 상품 범주 내에서 새로운 맛, 형태, 색상, 추가적인 성분, 패키지의 크기 등과 같은 새로운 특성을 가진 품목을 추가적으로 도입해 기존 브랜드를 유사한 제품군에 붙이는 것
브랜드 확장	높은 브랜드 가치를 갖는 한 브랜드의 이름을 다른 제품군에 속하는 신제품의 이름에 확장하여 사용하는 것
전방 확장	제조회사가 도, 소매업체를 소유하거나 혹은 도매상이 소매업체를 소유하는 것
후방 확장	소매상이나 도매상이 제조업체를 소유하거나 제조업체가 부품공급업자를 소유하는 것

3) 사업 계획 수립

사업 계획 수립은 사업 기회를 발굴하고 선정된 Item을 어떻게 사업화 할 지를 구체화하는 것이다. 소위 Business Plan이라고 하는 사업 계획서를 작성해 보는 것이다. 사업 계획서 란 운영계획, 마케팅 계획, 수익 및 추정 현금흐름계획 등 사업을 추진함에 있어 사업의 내용을 정리하고 계획을 수립하는 문서이다.

사업 계획서의 내용은 항목이나 양식이 따로 정해진 것은 아니며, 사업의 형태나 종류에 따라 달라진다. 따라서 사업계획서 작성 시, 사업의 목적과 기본 방향을 염두에 두고 사업계획서 안에 담아야 할 내용을 체계적으로 작성해 나가면 된다. 다만, 일반적인 구성 항목으로는 사업의 목적, 사업의 방향, 사업의 개요, 제품/상품/서비스에 대한 설명, 시장현황 및 전망, 사업장 계획, 시설투자계획, 조직 및 인원 계획, 원자재 조달계획, 생산계획, 판매계획, 마케팅 전략 및 방법, 소요자금 및 조달계획, 차입금의 상환계획, 사업 추진 일정, 추정 재무제표의 수립 등이 있다.

사업계획서는 사업을 준비하는 이에게 사업에 대한 구상을 체계적이면서 구체적으로 정리할 수 있는 기회를 제공하며, 사업계획서를 작성하면서 부문별 사업 내용을 반복적으로 점검할 수 있기 때문에 사업의 시행착오 예방과 사업의 성공 가능성을 높여줄 수 있다. 사업계획서의 필요성을 정리하면 다음과 같다.

첫째, 사업계획서를 구성하다 보면 그 동안 미처 깨닫지 못한 사업의 결점을 발견하게 된다. 흩어진 사업 내용을 보다 보면 상호 배타적인 점들도 찾게 되고, 좀 더 준비해야 할 일들도 알게 된다. 또한 전체적인 사업계획의 모습이 드러나면서 계획사업의 전반적인 강점과 약점을 알게 되고 이에 대한 효과적인 대처방안을 다시 한번 강구함으로써 계획 사업의 시행착오를 줄일 수 있다.

둘째, 사업계획서는 사업 초기에 업무추진 계획서로 사용할 수 있다. 사업이 일단 시작되면 처리해야 할 업무가 많고 시간이 부족하여 여러 대안을 검토하고 세부적인 계획을 수립하는 일에 많은 시간을 할애할 수 없다. 워낙 일이 바쁘다 보면 눈앞의 일에만 매달리게 되고, 당초 추구하고자 한 계획사업의 기본방향, 목적 등의 장기계획을 잊어버릴 수 있는데, 이때 사업계획서는 사업의 기본방향을 일깨워주고 유용한 행동지침이 될 수 있다.

셋째, 사업을 시작하려는 사람들이 겪는 가장 곤란한 것이 자금

부족이다. 자금 부족을 해소하는 방법으로 투자자를 초대할 수 있다. 이 때 투자자를 유치하기 위해선 단순히 말로 설명하는 것보다는 논리 정연하고 설득력 있는 사업계획서를 제출하는 것이 투자자의 마음을 보다 쉽게 움직이게 할 수 있다.

금융기관으로부터 대출을 받을 때도 마찬가지로 담보만 있다고 해서 돈을 꿔주는 것은 아니다. 자금을 대출해주고 난 후에 사업이 성장하여 차입금을 상환할 수 있는 능력이 있는지, 사업자의 경영능력은 있는지 등을 종합적으로 판단하기 위해서 사업계획서를 요구하며, 잘 만들어진 사업계획서는 투자자나 금융기관으로부터 원하는 자금을 대출받는데 있어 큰 힘이 될 수 있다.

넷째, 신규 사업을 추진하는 경우에 겪는 또 하나의 고충은 업종에 따라 다르겠지만 관계 기관으로부터의 인/허가를 받는 일이다. 최근 정부의 기업활동 규제완화나 행정규제개혁 등으로 사업가들의 경영활동을 제한하는 규제들이 많이 완화되었지만 아직도 사업 인/허가를 위해 관계기관으로부터 허가를 득해야 하는 일들이 많다. 허가기관에서 요구하는 사업계획서는 대부분 정해진 양식이 있으나, 사업자가 미리 작성해 둔 사업계획서가 있다면 이를 근거로 하여 소정 사업계획서 작성이 용이할 것이다. 사업계획서의 작성 시 유의사항을 정리하면 다음과 같다.

① 사업계획서는 용도(경영관리, 금융지원, 사업승인)에 따라 목적에 적합하도록 작성해야 한다. 예를 들어 창업자금을 지원하는 기관에 자금을 신청하기 위해 사업계획서를 작성하는 경우 지원기관의 사업심사기준이나 요구사항에 방향을 맞추어 사업계획서를 작성해야 한다.

② 사업계획서는 첫 장에서 마지막 장까지 그 내용이나 수치에 있어서 일관성을 유지해야 한다. 특히 생산이나 판매계획에서 계량화 되는 금액들은 추정 재무제표나 회사 수익성 분석 등에서 일관성 있게 반영되어야 한다.

③ 사업계획서는 비논리적인 추정을 피하고 확실한 근거와 함께 사실에 접근해야 한다. 외부기관에

제출하기 위한 사업계획서를 작성할 때 흔히 발생되는 오류인데, 계획사업에 대한 주관적인 의견보다는 통계적이고 객관적인 자료를 근거로 하여 합리적인 내용으로 작성되어야 한다.

④ 사업계획서는 각 사업운영 부문별로 충분히 다루어 주면서 그 내용을 명료히 나타내야 한다. 사업계획은 생산, 판매, 자금, 인력, 상품소개, 시장현황 등 사업과 관련된 내·외적인 요소를 골고루 포함해야 하며 내용의 중복성을 피하고 명료하면서 이해하기 쉽도록 표현해야 한다.

⑤ 모든 사업에는 사업자가 가지고 있는 강점이 있다. 그 강점은 계획사업을 성공케 하는 경쟁력이라 할 수 있다. 보유한 강점이 무엇이며, 어떠한 방향으로 사업 성공에 기여하는지 확실하게 제시해야 하며, 한 가지 방법으로 밑줄을 긋거나 글씨체, 글씨크기를 달리하여 눈에 띄게 할 필요가 있다.

⑥ 사업계획서는 계획사업에 내재되어 있는 문제점과 사업의 위험을 인식하고 이에 대한 대안을 가지고 있어야 한다. 모든 사업은 강점과 함께 약점이 있다. 그 약점을 보완하고 극복할 수 있는 전략이 필요하다.

외부에 제출하기 위해서 작성하는 사업계획서는 더욱 중요하며, 이해관계인(자본 투자자, 사업 승인자)에게 신뢰감을 주고 동조를 얻을 수 있는 힘을 가지고 있어야 한다. 사업 승인권자에게는 계획 사업이 미치는 긍정적인 파급효과를 제시하고, 자본투자자에게는 투하자본의 충분한 보상을 보장하는 내용이 설득력을 가질 수 있다.

4) 타당성 검토

사업의 타당성을 분석하기 위한 가장 단순한 기법은 NPV(순현가법)를 계산해 보는 것이다. 하지만 순현가는 절대치로 나타내 지기 때문에 자본 규모가 다른 여러 사업을 상대 평가할 때 불리하다. 이를 보완하기 위해서 수익성 지수법을 사용하기도 한다.

그 밖에 타인자본의 사용이나 고정자산 증감으로 인한 순이익의 변화 양상을 분석하는 것이 레버리지 분석이다. 레버리지에는 영업 레버리지와 재무 레버리지가 있다.

○ 영업레버리지(operating leverage)는 고정자산 등을 보유함으로써 감가상각비, 임차료, 제세공과와 같은 고정영업비용을 부담하는 것이다.

○ 재무레버리지(financial leverage)는 타인자본을 사용함으로써 이자비용과 같은 고정 재무비용을 부담하는 것이다.

영업레버리지는 영업이익의 실현 과정에서 기업의 매출액과 관계없이 발생하는 감가상각비, 임대료, 경영진의 보수 등과 같은 고정적인 영업비용이 지렛대 역할을 해 매출액이 증가할 때 영업이익 증가폭이 확대되고 매출액이 감소할 때 영업이익 감소폭이 확대되는 효과를 의미한다. 마찬가지로 재무레버리지는 타인자본으로 인해 발생하는 이자비용으로 인해 영업이익의 변화 대비 주당이익의 변화폭이 더욱 확대되거나 감소하는 효과를 의미한다.

5) 파일럿

신규 사업을 하기 위해서는 먼저 외부 환경을 분석하고, 내부 역량을 점검한 후 파일럿 단계부터 실행해야 한다. 신규 사업을 파일럿부터 시작해 단계별로 확장하는 이유는 사업을 추진하는 과정에서 꾸준히 회사의 역량을 고려해야 하며, 시장의 반응을 체크하고 검증하는 과정이 필요하기 때문이다.

6) 사업 실행

경쟁자와 다른 점을 내세우려고 차별화를 추구하는 조직은 무엇을 더 많이 제공할 것인가에 집중하는 경향이 있다. 반면에 비용 우위를 추구하는 조직은 무엇을 더 적게 제공할 것인가에 집중하는 경향이 있다. 그러나 이는 산업의 생산성 경계로 둘러 쌓인 레드오션에서 헤어나지 못하게 하는 선택이다. 블루오션 전략가들은 구매자에게 훨씬 더 많은 가치를 제공하고 가치-비용의 상충관계를 깨뜨리기 위해 무엇을 창조하고 늘릴 것인가 만큼이나 무엇을 제거하고 줄일 것인가를 동시에 집중한다. 즉, 차별화와 저비용을 동시에 추구하는 것이다.

기업이 지속적으로 생존하고 성장하기 위해서는 혁신의 정도가 크고 작은 신사업, 신제품의 개발과 상업화 성공은 필수적이다. 한 조사결과에 따르면 3,000개의 아이디어 중에서 1개 만이 상업적인 성공을 한다고 한다. 아이디어의 생존 성공률이 0.03%에 불과한 셈이다. 이러한 현상의 대부분은 추진프로세스와 방법론, 그리고 이를 실제 수행하는 사람에 문제가 있기 때문이다.

신사업, 신제품의 성공 확률을 높이기 위해서는 유망 아이템 발굴부터 성공적인 시장 진입과 확장에 필요한 요소들을 구체적으로 준비해야 한다. 먼저 유망 아이템의 발굴과 선정, 고객가치 설계와 이를 구현하기 위한 마케팅/판매, 개발, 생산과 같은 직접적인 '가치 창출 활동' 영역이 있다. 그리고 핵심역량, 조직문화, 비지니스 시스템, 정보기술(IT)과 같이 가치 창출 활동을 지원하는 '가치 창출 강화 요소' 영역과 이 두 개의 영역을 실제 수행하여 성과를 창출하는 '구성원의 역량과 리더의 역할' 영역이 있다. 3개의 영역이 힘을 합쳐 시너지를 낼 때 신사업, 신제품의 성공 확률은 그 만큼 높아지는 것이다.

제 5화 신규사업사례 1. Pet Care Biz

COVID-19 장기화로 반려동물과 보내는 시간이 늘면서 반려동물을 위해 지출을 아끼지 않는 사람들이 많아졌고, 반려동물의 건강을 생각하는 소비자가 늘며 관련 용품 매출 증가도 계속되고 있다.

반려가구의 경우 2021년 638만 가구로 전체 가구의 1/3을 차지하며, 반려인은 1,500만명으로 추산된다. 우리나라 인구의 1/3이 반려인 인 셈이다.

많은 신규 사업 계획이 성공/실패하는 데는 여러가지 이유가 있다. 각각의 원인을 살펴보면 동전의 앞 뒷면처럼 사업의 성공과 실패를 결정짓는 요인은 동일하다. 소비자, 마케팅 전략, 자원, 조직, 그 밖의 기타 요인 들이 각각 어떻게 유기적으로 작동하였는지에 따라 사업의 성패를 설명할 수 있다. 신규 사업이 실패하는 원인 측면에서 살펴 보면 다음과 같다.

① 소비자 : 신제품이나 신규 서비스가 실패하게 되는 원인들 가운데 가장 자주 언급되는 것이 기존 제품과 차별화된 독특한 편익을 소비자에게 제공하지 못하는 경우이다. 모방 신제품이 시장 기반을 구축한 선도 제품을 따라잡는 것은 거의 불가능하다.

② 마케팅 전략 : 신제품의 성공은 정확한 표적시장의 선정과 그에 적합한 포지셔닝을 필요로 한다. 물리적으로는 훌륭한 제품을 만들어 놓고서도 전략상의 실수로 인해 신제품이 실패하는 경우를 자주 볼 수 있다.

③ 자원 : 광고, 판촉, 유통 상의 자원이 충분하지 못한 것도 신제품 실패의 한 원인이다. 특히 사내의 영업 조직이나 유통 경로 구성원들이 신제품의 취급을 꺼리는 경우 신제품이 시장에서 성공하기는 어렵다. 그러므로 광고, 판촉 및 영업활동 그리고 적절한 After

Sales Service는 신제품의 성패를 좌우하는 중요한 요소이다.

④ 조직 : 성공적인 제품의 개발을 위해서는 전사적인 품질 관리와 고객 지향적인 기업문화가 필수적이다. 그 중에서도 연구개발부서, 마케팅부서, 생산부서 그리고 영업부서 간의 협조는 성패의 관건이 된다. 따라서 부서 간의 불충분한 의사소통과 조정의 실패는 신제품의 실패확률을 높인다.

⑤ 그 밖의 기타 요인 : 기술의 진부화 속도가 빠른 제품분야에서 기술개발의 속도가 느린 경우, 출시의 타이밍이 너무 늦거나 빠른 경우, 수요 예측이 잘못되어 과다 생산을 한 경우, 신제품 출시 후 경쟁자의 반응이 강력하고 효과적이어서 소비자들이 경쟁 상품을 더 선호하는 경우 기업을 둘러싼 경제적, 법적, 정치적 환경 등이 바뀌는 경우 등을 들 수 있다.

앞에서 설명한 신사업 기획 과정 순서에 따라 신규사업으로 Pet

Care Business 추진 사례를 소개하고자 한다.

1) 사업 기회 발굴

반려동물을 가족 구성원으로 생각하는 '펫팸족(Pet+ Family)'이 증가하고 있다. 한국농촌경제연구원에 따르면 2021년 국내 반려동물 시장 규모는 3조 4000억원 수준으로 추산된다. 2017년 2조 3000억원에서 3년만에 1조원 넘게 성장해 앞으로 몇 년 후인 2027년에는 6조 원대에 이를 것으로 전망된다.

애완동물에서 반려동물로 이제는 사람과 동일시되는 추세가 확대되고 있다. 반려동물의 신체적 건강이나 분리 불안 등 정신적 건강 관리를 비롯해 반려동물의 전 생애 주기를 관리할 수 있는 예방, 치료, 건강 관련 서비스 영역에 대한 관심이 증대되고 있다.

과거 2000년대까지만 해도 애완동물을 기르는 사람들은 자신의 즐거움을 중시하며 동물은 사람의 즐거움을 위한 존재로 인식하는 소위 일방적 수직적 관계였다고 할 수 있다.

주로 애완동물은 실외에 거주하고 건식 사료 위주의 식사를 하고 질병, 사고 발생시 한시적인 치료 중심으로 동물을 위한 별도의 추가 지출 자체가 제한적이었다.

2010년대 중반까지 1인가구가 증가하고 고령화가 지속되며, 인구구조의 변화로 동물과 함께 생활하는 인구가 증가하고, 동물에 대한 인식 변화로 사람과 동물이 서로 의지하는 수평적 관계가 확대되었다. 이와 함께 점진적으로 반려 동물이라는 개념이 확산되었다. 실내에 거주하며 동물의 휴식, 수면을 위한 별도의 공간을 마련하고, 품종, 나이 등을 고려한 사료, 간식을 제공하며, 예방 접종, 정기 검진 등 지속적 건강 관리에 관심이 높아졌다. 식사, 장난감, 의료 서비스 관련 지출이 증가했다.

최근에는 펫휴머니제이션 시대라고 한다. 반려동물의 인간화, 반려 동물이 사람처럼 대우받을 수 있는 제품 및 서비스 등의 확대로 동물을 가족의 일원으로 생각하는 펫팸족이 등장하게 된다. 분리불안 등 동물의 정신 건강, 심리적 안정에 대한 관심 및 관련 서비스 이용이 증가하고, 칼로리, 영양소를 고려한 수제

프리미엄 사료 간식 제품이 다양화되고 있다. 노령 및 질병을 가진 반려 동물을 위한 유전자 검사, 치료제, 영양제 등 상품 판매가 고성상을 보이고 있다. 또한, 반려동물을 위한 급식기, 급수기, 스마트 화장실, 웨어러블 기기, 에어샤워, 드라이룸 등 다양한 펫가전 기기 들이 급신장을 하고 있다.

반려 동물 시장은 크게 푸드류, 용품류, 서비스 상품류로 구분된다. 먼저 푸드류는 사료, 간식, 건강식, 영양제 등 반려동물을 위한 식품들로 국내 반려 동물 시장의 절반 이상을 차지한다. 그 다음으로 높은 비중은 용품류로 분류할 수 있다. 주로 위생/미용 등에 필요한 것으로 배변, 미용, 의류, 액세서리, 장난감 등 외에도 사료 제공을 위한 급식기, 급수기 등을 들 수 있다. 나머지 서비스 상품류는 반려동물을 위한 보험, 돌봄, 산책, 호텔, 건강검진, 장례 등 서비스 상품이 각광받고 있다.

2) Item 선정

양육자들의 주요 관심사는 반려 동물의 건강, 영양, 멘탈 관리 등 순으로 나타났다. 물리적인 건강, 영양 측면 외에도 분리 불안과 관련된 정신적인 멘탈 케어에 대한 니즈가 특히 높은 것으로 파악되었다.

건강은 평시에 반려 동물의 건강 상태 모니터링에 대한 수요가 높다. 실제 인터뷰를 해보면 "정기적으로 동물병원에 가서 건강검진을 받는다"거나, "그냥 봐서는 좋아 보이는데 상태가 어떤지 몰라 불안"해 하는 심리가 높은 것으로 나타났다.

치료는 기본이고 펫 건강 모니터링에 대한 니즈가 높아 월 1회 이상 가까운 동물병원에 정기 검진을 통해 건강 상태 확인을 하고 특별한 질병이 없더라도 펫의 건강을 실시간으로 확인하고 관리하고자 하는 식으로 고객들의 니즈가 높게 파악되었다.

동물병원 방문빈도는 월 1회 이상 방문율은 33% 이며 양육 기간이 짧을수록 월 1회 이상 자주 방문하는 경향이 더 높은 것으로 조사되었다. 동물병원 선택시에는 "비용과 접근성"을 중시하고, 동물병원 방문 목적은 정기 검진을 위한 방문이 49%로 1순위였다. 특정 질병에 대한 전문적 관리와 실시간 건강 상태 모니터링 필요도 높게 나타났다.

건강상태 모니터링에는 조사결과, 월 평균 약 3만 5천원 수준의 지출 의향이 있는 것으로 파악되었고 월 5만원 이상 지출 의향도 전체의 28% 로 나타났다.

영양은 균형적인 영양 관리를 위한 정보/서비스에 대한 니즈를 확인할 수 있었다. "막 먹이면 영양 불균형이 온다고 해서 사료를 선별하여 먹이고" 항상 식사 여부, 운동량과 적당한 식사량에 대한 관심이 매우 높게 나타났다. 특히 초보 양육자들일수록 펫의 영양상태에 대해 민감하며, 단순 자동 급식 이외 급식, 섭취 관련 히스토리 관리 등 Care 기능에 대한 선호가 높게 나타났다.

멘탈 관리 측면에서는 분리 불안에 대한 관심이 높았다. "외출할 때마다 강아지가 문 앞까지 쫓아 오니까 얼른 문 닫고 나오는데 혼자서 잘 있나 항상 걱정하는 마음"이 많은 반려인들의 공통된 아쉬움으로 조사 되었다. 대부분의 펫이 분리불안을 경험하며 케어가 필요한 수준이라고 인식하는 비율도 높은 편이었다. 펫을 위해 유료 전용 영상 채널의 사용률은 아직 낮게 나타났지만, 유튜브 채널을 사용해 본 경험은 높게 나타났다. 멘탈 관리를 위해 영상 채널을 활용하는 경우가 많았고, 동물이나 자연환경, 음악 등 양육자별 보여 주고 싶은 컨텐츠 종류가 다르고 펫에 따른 취향도 존재하는 것으로 나타났다.

조사대상의 81%가 양육하는 펫의 분리불안을 경험했고, 26%가 증세에 대한 우려를 나타냈다. 분리 불안 해소를 위해 '식사/간식을 미리 제공' 하거나, '채널 틀어 주기' 방식을 주로 활용하는 것으로 나타났다.

3) 사업 계획 수립

앞에서 살펴 본 양육자들의 주요 관심사인 반려 동물의 건강, 영양, 멘탈 관리를 해소할 수 있도록 반려동물의 건강 모니터링을 할 수 있는 펫 웨어러블 기기를 활용한 가상의 신규사업계획을 수립해 보고자 한다. 먼저, 사업계획서 작성에 착수한다.

제품 사양은 GPS 기능과 건강관리모니터링 기능을 기본으로 탑재하고, 통신 모듈을 장착해 반려동물의 분실시 위치추적을 할 수 있도록 한다. 건강모니터링 기능은 반려동물의 섭취량, 나이,

무게 기반 활동량 목표를 설정하고, 매일 할기, 긁기, 섭취, 수면 분석을 통해 이상징후 알림 기능을 탑재하는 것으로 했다. 특히 기존 경생사 세품과 차별화를 위하여 진용앱을 통해 제휴 수의사와 채팅 기능을 위해 전화, 비디오콜 기능을 필수로 반영했다. 또한, 자동급식기와 연동하여 활동량에 따른 적정 사료 공급량을 계산해서 제공할 수 있도록 하고, 반려견의 감정과 활동량을 측정하고 분석해 반려견 상태 모니터링을 제공할 수 있도록 했다.

4) 타당성 검토

해당 제품을 자체 개발 방식으로 할지 국내외 기존 업체들과의 제휴 협력을 통한 상품 개발로 진행할지를 판단하기 위해 수익성 분석을 실시 했다.

앞에서 조사한 반려 가구의 펫가전 구매 의향 데이타를 활용하여 국내 반려 가구수를 모수로 하여 예상 제품 판매 수량을 추정하고, 국내외 경쟁 제품 가격과 예상 개발 원가를 기초로 예상 손익을 계산했다. 예상 수익과 예상 비용을 바탕으로 예상

현금 흐름과 함께 자금수지계획도 수립했다.

5) 파일럿

제품 개발이나 제휴 협력 모두 상당한 시간이 소요되므로 기존 국내 제품을 소싱해 파일럿 사업을 제안하기로 했다. 국내 D사의 스타트 업 제품은 충전식으로 한번 충전하면 3주간 사용할 수 있고 통신 모듈을 활용해 GPS 위치 추적 기능도 탑재된 제품이다. 다만 아쉬운 것은 자동급식기나 가전 제품과 연동 기능이 당장은 지원되는 않는다는 것이었다.

6) 사업 실행

신규 사업 실행을 위해서는 넘어야 할 벽이 높다. 신규 사업 아이템을 발굴해 실행에 옮기는 데까지 최소 10여개 부서의 합의와 승인을 얻어야 가능하다. 마케팅, 영업, 관리, 경리, 판촉, 홍보, 생산, 물류, 서비스 등등… 가장 강력한 저항은 판매 현장에 있었다.

“펫 관련 상품은 이미 3개 매장을 파일럿으로 운영하며 실패한 사례가 있어 보수적인 접근이 필요합니다. 당시 펫 관련 상품 도입 후 진열 제품 소진 지원도 안 되어 자체적으로 손익 마이너스를 감수하면서 처리 했었습니다. 또한, 매장에서 펫 관련 제품을 판매하면 펫 동반 고객이 매장에 반려견을 데리고 들어오는 것을 막을 수가 없는데 다른 고객 님들께서 이해하실지가 의문입니다."

회사 내부적으로 신규 사업의 사업성과나 파급효과 등 필요성에 대해 공감하도록 설득하는 과정이 가장 어렵다. 경영진의 의사결정으로 Top-Down 방식으로 진행되는 경우라면 몰라도 현 사업이 그런대로 유지되고 있기 때문에 신규 사업이 시급한 우선순위가 아닌 경우가 많다. 이런 경우는 빠르게 변화하는 시장이나 소비자의 트렌드를 민감하게 인지하는 경영자의 리더십이나, 직원들의 관심을 끌어 모을 수 있는 강력한 추진력이 없이는 성공적인 신규 사업 런칭은 현실적으로 기대하기 어렵다.

결론은 작전상 후퇴! 신제품 진열, 교육, 재고 등 막대한 투자가 필수적인 오프라인 매장의 런칭은 뒤로 미루고, D2C 채널을 활용해 판매 성과를 먼저 만들어 보기로 했다.

어렵게 내려진 파일럿 사업 결정에 이어 해당 상품의 런칭 프로모션에 대한 내부적인 열띤 논쟁이 벌어졌다. 먼저 판매촉진의 한계에 대한 우려에 부딪혔다.

런칭 프로모션으로 강력한 판매촉진 프로그램이 필요하다는 것을 관리부서에 설득이 필요했다. 하지만, 관리부서에서는 판매촉진이 단기적인 성과는 가져다 줄 수 있지만, 장기적으로 볼 때 많은 비용에도 불구하고 회사에 도움이 되지 않는다는 부정적인 입장이 단호했다.

"판매촉진의 한계는 상표 자산 구축에 있어서 부정적인 영향을 미칠 수 있고, 소비자로 하여금 가격 민감성을 증대 시키게 됩니다. 또한, 경쟁사의 판촉 실행을 촉발할 수 있어요. 오히려 판매촉진 후 판매 감소를 초래할 수도 있습니다. 아래 그림에서 보듯 판매촉진을 통한 구매의 가속화로 해당 상품에 대한 구매가 미리 이루어진 만큼 당분간은 수요가 줄어들게 됩니다."

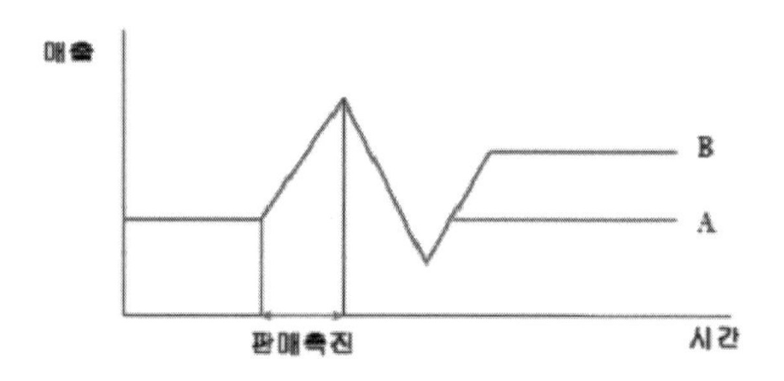

< 판매촉진 효과 >

하지만, 신상품의 조기 판매 성과가 향후 정규 라인업 도입을 위한 필수 조건이라는 점을 들어 강력한 판매촉진 프로그램 필요성을 주장했다.

"이 제품은 PLC 측면에서 보면 도입기에 있으므로 런칭 프로모션 후에는 다양한 입소문을 통해 B커브 형태로 수요가 늘어날 수 있다는 점을 간과해서는 안됩니다."

판매 촉진이란 단기적인 강한 유인이다. 판매 촉진은 즉각적인 판매를 달성하기 위해서 고객 뿐 만 아니라 유통에 자극을 줄 수 있는 수단이며, 내적으로 판매원의 동기를 부여할 수 있는 수단이다. 그러나 판매촉진은 양면성을 갖고 있다. 즉 고객은 상품의 주된 혜택보다는 외부적인 유인으로 구매 동기를 갖게 될 수 있기 때문에 그 효과가 장기화될 수 없다는 제한점을 갖고 있다.

판매 촉진의 대표적인 긍정효과는 먼저 시간에 대한 압박을 유발한다. 판매 촉진은 유효기간이 제한되어 있다. 대표적인 것이 할인이다. 예를 들어 백화점의 경우 판매의 상당부분이 바겐세일 동안 이루어진다. 또한, 시장이 성숙해지면서 상표의 전환이 중요해 진다. 자사의 고객 뿐 만 아니라 경쟁사의 고객도 유치해야 하는 상황이 온다. 이럴 때는 강한 유인책을 사용해야 하는데, 판매촉진은 수단이 다양하기 때문에 상황에 따라 다른 수단을 사용할 수 있다. 유통에서 자사의 재고를 움직일 수 있는 것도 판매촉진이다. 또한 비용의 성격 측면에서 판매촉진은 변동비의 성격을 지니고 있다. 대표적인 예가 쿠폰, 리베이트, 가격할인 등인데 판매촉진은 팔리는 제품에 한해서 적용을 하기 때문에 위험 부담이 적다. 반면, 광고는 고정비라고 할 수 있다.

많은 제품을 팔기 위해서는 평균 비용상 광고가 더 저렴할 수 있으나, 위험부담 측면에서는 판매촉진이 더 우위에 있다.

판매촉진은 다재다능한 수단이다. 다양한 상황에서 다양한 목적을 달성할 수 있는 것이 판매촉진이다. 예를 들어 기존의 가격 구노를 유시하면서 부분직인 가격할인이나 가격차별화를 통해 전술적인 시장 수요를 조성할 수 있는 것이 판매촉진이다.

가격할인과 가격차별화는 아래와 같이 구분할 수 있다. 가격할인은 가격 정책에 의해 정해진 자사의 상품이나 제품의 가격을 특정 시기나 특정 장소에 한해 일정 비율 혹은 일정 금액을 제시해 집객된 고객과 소비자를 상대로 저렴하게 판매하는 행위다. 불특정 다수의 소비자를 대상으로 집객력을 강화하는 기법이기도 하지만 구매와 동시에 표기된 숫자 만큼의 할인을 통해서 구매 유인 효과를 제공하는 것이다. 가격할인은 판매 확대에 따른 이익을 고객과 Share 한다는 의미에서 회사가 정책을 수립하면 해당 할인을 이용할 지는 전적으로 고객이 결정할 수 있도록 하는 것이다. 예를 들면 현금할인, 수량할인, 거래할인, 계절할인, 공제와 같은 방식이다.

현금할인은 제품 대금을 현금으로 지불할 경우 가격을 할인해 주는 것으로 신용거래로 인한 현금화 기간 동안의 금융비용을 고객에게 할인해 주는 방식이다. 외상매출회수 비용 등을 줄이고 유동성을 확보하는 만큼 고객에게 환원해 주는 것이다. 수량할인은 대량구매 소비자에게 가격을 할인해 주는 것으로 대량판매에 따른 판매비용, 수송비, 주문처리비용 등을 절감한 만큼 고객에게 환원하는 것이다. 거래할인은 판매, 보관, 장부정리 등 판매업자가 해야 할 일을 대신 수행하는 중간상에 대한 보상으로 할인하는 것이다. 계절할인은 계절이 지난 제품이나 서비스를 구매하는 소비자에게 할인해 주는 것으로 겨울용품을 봄 및 여름철에 할인해 주는 경우이다. 마지막으로 공제는 기존 제품을 신형 제품과 교환할 때 기존의 제품 가격을 적절하게 책정하여 신제품의 가격에서 할인해 주거나, 제조업자의 광고나 판매촉진 프로그램에 참여하는 유통업자들에게 보상책으로서 가격을 할인해 주거나 일정 금액을 지급하는 것이다.

이에 비해 가격차별화는 본질적으로 동일한 상품에 대하여 지리적, 시간적으로 서로 다른 시장에서 각기 다른 가격을 매기는 일이며 이렇게 하여 설정된 가격을 차별 가격이라고 한다. 동일한 상품에 별개의 가격이 매겨지는 경제적인 이유는 뚜렷이 구별할 수 있는 몇몇 시장에서 수요의 가격탄력성의 크기가 서로 다르기 때문이다. 예를 들어 고객 집단별 가격 차별, 제품 형태별 가격 차별, 입지별 가격 차별, 시간대별 가격 차별처럼 피크 타임과 한가한 시간에 따른 차등 가격 전략이나, 소비자의 능력이나 유통의 협상 능력에 따라 가격을 달리 적용하는 것도 마찬가지다.

고객 집단별 가격 차별은 고객에 따라 동일한 제품과 서비스에 대해 서로 다른 가격을 책정하는 것으로서 예를 들어 고궁에 입장시 군인과 일반인, 65세 이상 등으로 입장권 가격을 구별하는 것이다. 제품 형태별 가격 차별은 원가 상의 차이가 아님에도 제품 형태에 따라 가격을 상이하게 책정하는 것으로 예를 들어 자동차 구매 시 약간의 모델 차이에도 가격 차이를 두는 것과 같은 방식이다. 입지별 가격 차별은 뮤지컬 공연 시 무대와의 거리에 따라 VIP석, S석, R석 등으로 가격을 다르게 책정하는 것이다. 시간대별 가격 차별은 스키장에서 시즌권,

오전권, 오후권, 당일권, 새벽권 혹은 주중 주말에 따른 차등이나, 하루의 시간대에 따라 각각 가격을 다르게 책정하는 것과 같은 것이다.

판매촉진의 부정적인 효과는 상표에 대한 애호도의 감소이다. 판매촉진을 많이 하면 장기적인 면에서 고객 충성도가 떨어진다. 소비자가 쿠폰을 활용해 상품을 구매할 경우, 구매 요인은 물건이 저렴하기 때문에 또는 쿠폰이 제공됐기 때문이라고 생각하게 된다. 이것이 장기화되면 고객 충성도가 유지될 수 없다. 특히 저관여 제품에서는 가격의 중요성이 떨어진다. 그러나 중요하지 않은 제품에 대해서 계속 판매촉진을 하면 장기적인 면에서 가격 민감성이 높아진다. 가격 민감성이 구매 조건이 되면 장기적인 면에서 얻는 것보다는 잃는 것이 더 많다. 이러한 판매촉진은 단기적인 효과를 위해서는 효과적이지만 장기적인 면에서도 긍정적일지, 부정적일지를 고려해야 한다. 판매촉진은 관리적인 측면에서 임시방편적인 경향이 있다. 그것은 PM이나 Brand Manager 에게 심각한 문제이다.

판매촉진의 효과 가운데 주의해야 할 사항으로 특정 소비자의 구입량의 증가와 구매 기간의 단축 등의 요인에 의해 당장 소비할 필요가 없는 세품을 충동 구매함으로써 일시적인 과잉 구매가 발생한다는 것이 사실이다. 세제가 충분히 남아 있음에도 불구하고 구매 사이클을 단축시켜 프로모션 캠페인 기간 중에 구매하는 경우를 예로 생각해 볼 수 있다. 이러한 경우 해당 세제의 판매는 신장되지만, 유통업체의 입장에서는 판매촉진에 의해 단기적으로 판매량이 증가하더라도 판매촉진 실시 이후 세제 판매량이 줄어 장기적 효과는 없는 것이 된다.

반면, 일시적으로 가정 내의 과잉 구매가 실제로 소비량의 증가를 가져오는 예도 존재한다. 라면을 다량으로 구매한 결과 다른 것보다 라면을 먹을 수 있는 기회가 증가하게 되어 소비를 증가시키게 된다. 따라서 판매촉진의 효과를 장기적인 관점에서 올바르게 파악하기 위해서는 일시적인 과잉 구매가 실제로 어떠한 영향을 미치는지 또는 소비량의 증가로 이어질 수 있는지에 대한 세밀한 관심이 요구된다

판매촉진은 광고, 퍼블리시티와 함께 활용될 때 효과가 나타난다. 프로모션 활동이 목표 고객에게 알려지지 않는다면 관객 없는 콘서트가 되고 만다. 이를 극복하기 위해서는 가격 할인의 크기와 빈도, 방법을 적절히 골라 적용할 필요가 있다. 예를 들어, 소비자의 반복적인 구매를 유도하기 위한 판매촉진 활동으로 마일리지 프로그램이나, 사은품을 제공하는 판촉의 경우 판매촉진 효과의 지속성을 기대할 수 있으며, 판촉이 특정 상품 구매를 촉진하는 추가적인 인센티브로 인식되어 소비자의 재방문을 초래하게 된다. 이에 비하여 즉각적인 판매의 증대만을 목적으로 가격 할인을 제공하는 일반적인 판매촉진 활동의 경우 단기적으로 판매 확대의 목적을 달성할 수는 있으나, 경쟁업체의 공격적인 대응 가격으로 인해 판촉 효과의 지속성을 기대할 수 없다. 또한, 추가적인 가격 경쟁으로 이어질 수 밖에 없게 된다. 따라서, 지나친 판촉 경쟁을 방지하려는 노력이 필요하게 된다.

제6화 신규사업사례 2. e식품관

한국 시장에서의 다양한 성과를 바탕으로 글로벌 시장으로 접목되는 비즈 모델들이 여전히 중요한 성과를 만들어 내고 있다. 그 중에서도 제일 기대되는 것이 신규사업이다. 조직원 전체가 모국어로 비지니스를 할 수 있는 시장, 교육 수준이 전세계에서 제일 높고, 역동적인 IT 인프라와 사촌이 땅을 사도 배가 아파할 정도로 지고는 못사는 경쟁 지향적인 수요자들로 충만한 한국 시장은 신규사업을 위한 최고의 조건을 다 갖추었다고 할 수 있다.

비지니스 환경 속에서 새로운 성장 동력을 보유한 사업에 뛰어드는 스타트 업 기업이나 성숙기에 접어든 기존 사업을 대체, 보완하기 위해서 새로운 사업을 기획하여 추진하는 것이 신규사업 이다.

기업이 생존을 위해서는 본연의 사업 분야에서 핵심 사업에 대한 근본적인 경쟁력이 중요하다. 하지만, 신규 사업을 통하여 새로운 사업 분야에 진출하고, 기업의 수익을 연속적으로 확장하는 전략 또한 필수적이다.

S社의 CE영업팀은 가전 제품의 영업·마케팅을 담당하는 조직이다. 기존 거래처와의 오랜 신뢰 관계, 다양한 품목, 가격·품질 경쟁력과 함께 서비스만큼은 S社라는 고객들의 뿌리 깊은 인식을 바탕으로 업계를 리딩 해 왔다. 하지만, 지난 20여년간 끊임없이 경쟁사와 1등 자리를 놓고 치열한 경쟁의 끈을 끊지 못하고 있는 상황이다. 그런데 온라인으로 유통 환경이 변화하면서 가전 사업의 성장과 미래 사업에 대한 고민과 이슈가 오래전부터 제기되었다.

최근에는 BESPOKE 라는 혁신적인 아이디어로 경쟁사와 확연히 다른 전략을 선보였다. 고객이 취향에 따라 가전 제품의 색상을 고를 수 있도록 한다는 발상으로 완전히 성공적인 신규 사업의 전형이 되었다. BESPOKE란 고객이 제품의 색상, 디자인, 크기 등을 정하고 원하는 스타일을 선택하면 그에 맞춰 제조 및 배송이 이뤄지는 시스템이다.

원래는 '맞춤형 정장'이라는 뜻으로 사용됐으나, 소비자가 '말하는 대로' 제작해 주는 맞춤형 생산 방식으로 사용되고 있다. 최근에는 적용 범위가 가전 뿐 만 아니라 타 산업 분야로 확대되고 있다.

결과적으로 S社에서는 BESPOKE 라는 신규사업 아이디어로 관련된 인사들이 대거 임원으로 승진하기도 했고, 한국 시장 내 이곳 저곳에서 BESPOKE라는 단어가 유행처럼 쓰이게 되었다.

"S社의 가전 사업 포트폴리오를 보면 주방가전, 생활가전 품목 중 주방가전은 모두 식품류와 연관되어 있습니다. 이제는 혁신 제품을 통해 고객의 불편을 해소하는 것 뿐 만 아니라 혁신 제품의 Value를 극대화 시킬 수 있는 편의를 함께 제공해 고객이 미처 생각지도 못한 새로운 라이프스타일을 제안하는 방식의 사업이 되어야 합니다."

주방가전은 냉장고, 전자레인지, 전기레인지, 식기세척기 등이며,

생활가전은 세탁기, 건조기, 의류관리기, 청소기, 공기청정기 같은 제품들이다.

"국내 굴지의 식품사들과 함께 가장 맛있는 최적의 조리법을 개발하고, QR 코드만 찍으면 최적의 조리 코스가 스스로 세팅되어서 집에서도 일류 레스토랑의 음식 맛을 볼 수 있도록 하는 것, 맞벌이 부부도 10여분만에 만찬을 준비해 우아한 저녁이 있는 삶을 갖도록 하는 것이 우리가 지향하는 신규 사업의 지향점입니다."

S社에서 직접 운영하는 온라인 플랫폼은 많은 사람들이 예전에 새로 산 가전 제품의 사용 설명서나 PC제품의 연결 프로그램을 다운로드 받을 때 사용하던 사이트로 알고 있다. 이런 온라인 플랫폼에서 가전 제품도 아닌 햇반과 냉동 만두를 넘어 밀키트를 판매할 수 있다는 발상이 참신하다.

최근 오프라인에서 온라인으로 유통 환경 변화가 가속화되며 향후 안정적인 채널 확보를 위해서는 S社 입장에서 온라인 채널의 방문객 증대가 필수적이었다. 최근 S社는 Global 각 지역

총괄 단위로 온라인 채널의 판매 비중을 목표를 정하고 관리하고 있다. 타겟은 최소 10%. 문제는 한국시장의 경우 다양한 가전 유통이 발달되어 있어서 온라인 쇼핑몰 활성화가 녹록치 않은 상황이다.

또 다른 배경은 S社의 마케팅 전략상 가전 구매 고객은 제품 교체 주기가 최소 5~7년 이상이다. 휴대폰의 경우 2~3년 마다 교체하는 고객이 많고 통신사의 정책도 2년 단위로 운영되다 보니 제품 교체 주기에 대한 고민이 적지만, 가전 사업의 경우 이사, 혼수 시즌에 가전을 구매하며 다음 교체 주기까지 기간이 매우 길다.

따라서, 고객관계관리를 통해 고객과 지속적인 유대관계를 유지하기 위해서는 막대한 마케팅 비용이 필요하다. 반면에 식품은 매일, 매주, 매월 구매가 이루어지는 특성을 가지고 있어서 가전과 식품의 결합은 S社에게 꿀 같은 조합이라고 할 수 있다. 국내 식품 수요가 S社 전체 매출과 유사한 200조원 규모로 추산되어 식품 시장은 S社로서는 매력적인 시장이지만,

접근할 방법이 없는 문제가 있었다.

마지막으로 COVID-19 이후 급증한 구독 수요에 대응하기 위한 S社만의 차별화된 사업모델이 필요했다. 제품 가격은 계속 올라가고 고객의 구매 부담을 경감시켜 줄 매력적인 사업 모델이 절실했다. S社가 찾은 구독 사업 모델은 3rd Party 식품사와의 제휴 협력을 통한 방식이다. 식품사와 카드사를 통해 고객 혜택 재원을 만들고, 온라인 쇼핑몰에 식품사를 입점 판매 시키고 해당 수수료를 활용해 매월 일정 금액 이상 구매한 고객에게 할인 혜택을 제공하는 방식으로 S社식 구독 모델을 만들었다.

문제는 Global 대표 전자전문업체 직영 온라인 플랫폼에 밀키트 같은 상품을 등록하고 판매하는 것을 내·외부 고객에게 컨센서스를 얻는 것이었다. 내부 경영진은 기존에도 오프라인 매장에 자사 제품이 아닌 타사 상품 판매에 대해 탐탁하게 생각하지 않는 상황이었다.

이런 경영진에 대한 설득은 향후 영속적인 가전 사업을 위해서는 MZ세대와의 소통이 필요하고, 최근 급증하고 있는 1인 가구

수요를 Meet 시키는 게 절실하다는 논리를 폈다.

식품사와 같은 외부 고객의 경우 S社 온라인 쇼핑몰에 쇼핑 기능이 있다는 것은 잘 알지 못하여 이를 설명하고 예상 효과에 대한 확신을 공감 시키는데 많은 시간을 투자하였다. 특히 식품의 경우 HACCP이라고 해서 생산에서 고객에게 배달되는 전 과정에서 안전을 위협하는 요소가 없는지를 인증하는 제도가 있다. 식품사별로 찾아가 S社가 직영하는 온라인 쇼핑몰 e식품관에 입점하면 HACCP 보다 더 확실한 품질 인증을 받은 효과로 고객에게 맛과 품질에 대한 안심을 제공할 수 있다는 식으로 설득 작업을 진행했다.

결과는 대성공! 온라인 쇼핑몰 내 18개 식품사, 1,500개 상당의 메뉴를 유치할 수 있었다. S社 가전을 구매하는 고객에게 온라인 쇼핑몰 e식품관을 소개하고 매월 고정적으로 나가는 식비를 줄일 수 있는 방법을 제안할 수 있게 되었다.

통계에 의하면 4인 가구 기준 월 식품 구매액은 평균 58만원으로 조사되었다. 기왕에 구매할 식품을 S社 온라인 플랫폼을 이용할 것을 권유하는 방식으로 자사 가전 구매 고객의 식비를 줄일 수 있는 새로운 혜택을 설계할 수 있었다.

고객이 2년간 매월 39천원 이상 특정 카드사의 신용카드로 식품을 구매하는 조건으로 59만원 하는 큐커 제품을 5만원에 구매할 수 있도록 하는 '큐커플랜'이란 구독프로그램도 도입했다.

2022년 9월에는 S렌탈社에서도 유사한 사업 모델을 런칭했다. S렌탈社는 식품사 1곳, 카드사 1곳과 Exclusive한 협력 모델을 만들었다. S社에 비해 상대적으로 규모가 적은 회사로서 탁월한 전략적 선택이라고 할 수 있다. Exclusive한 협력 관계를 통해 식품사와 카드사의 협력을 통한 좋은 거래 조건을 만들어 냈다.

의식주 중에 가장 구매 빈도가 높은 식품을 활용한 다양한 가전 판매 사업 모델이 봇물 터지듯 확대될 것으로 기대된다. BESPOKE라는 단어가 유행처럼 확대된 것 같이, S社의 e식품관 비즈 모델이 다양한 업체들의 새로운 성장 동력으로, 또한 소비자들의 생활비 부담을 덜어주는 새로운 마케팅 트렌드로 확대될 것으로 기대된다.

Chap 2. How to Work Smart

제1화 일을 효율적으로 하는 방법

미국 아이젠하워 대통령은 시간 관리의 전문가로 알려져 있다.

대통령 어록에 "가장 중요한 결정이 가장 긴급한 결정은 아니다" 라는 이야기를 했다고 한다. 아마도, 그는 모든 것을 언제까지 해야 되는지 잘 아는 능력이 있었던 것 같다.

일을 효율적으로 하는 방법은 중요한 것과 긴급한 것을 구분하는 방법부터 배우는 것이다. 지금 담당하고 있는 일이 무엇이든 중요한 것과 긴급한 것을 매트릭스로 그려볼 것을 추천한다.

스스로에게 물어보라. 우리가 중요한 일을 처리할 때 긴급하지 않은 적이 있었나? 긴급해지기 전에 중요한 일을 처리하기 위해 몰두해 본 적이 있었나? 아마도 학창 시절 시험 기간 직전에 공부의 효율이 최고로 오르는 경험이 일하는 습관에 영향을 주고 있는 것은 아닌지 생각해 볼 일이다.

하지만, 전략적이고 장기적인 의사 결정 까지도 시간에 쫓기어 낭패를 보는 일이 없도록 훈련이 필요하다. 시급하고 중요한 일은 즉시 하라. 중요하지만 시급하지 않은 일들은 언제까지 할 지 계획부터 먼저 수립하는 습관이 필요하다.

중요함
High

중요하지만, 시급하지 않음 언제까지 할 지 결정하라	시급하고 중요함 즉시하라
중요하지도 시급하지도 않음 나중에 하라	시급하나 중요하지 않음 누군가에게 위임하라

Low 시급함 High

일을 효율적으로 하는 노하우는 오늘 처리할 일들의 리스트를 만들고, 리스트의 최 상단에 있는 일부터 처리하는 것이다. 일이 완료되면 리스트에서 하나씩 지워가는 것이다. 하지 않는 것보다는 늦게 라도 하는 게 낫다. 하지만, 늦지 않도록 하는 게 가장 좋다.

제2화 올바른 해결을 찾는 방법

조직에서 가장 두려워하는 것은 변동성, 혼란, 불균형 이다. 하지만 이것들이야 말로 창의성의 원천이다.

프로젝트에 참여하는 사람들의 팀워크를 이끌어 내는 것은 리더의 역량이다. 하지만, 성과를 가로막는 가장 큰 문제는 종업원들의 무능력에 기인한 것이 아니고 목표가 모호하기 때문이다. 많은 경우 팀 멤버나 프로젝트에 참여한 사람들이 자신이 하고 있는 일을 왜 하는지 알지 못하는 경우가 많다.

스티브 잡스의 일화 중 하나는 직원들이 스티브 잡스와 엘리베이터를 타는 것을 극도로 꺼려했다고 한다. 스티브 잡스는 엘리베이터에서 마주한 직원들에게 무슨 일을 하는지, 그 일이 회사를 위해 어떤 도움이 되는 지를 질문하고 엘리베이터가 멈추기도 전에 직원을 해고했다고 한다. 스티브 잡스 처럼 프로젝트 멤버나 조직원들을 마음데로 해고할 수 없다면 조직의 목표를 공유하는 법을 배워야 하지 않을까?

노하우 중 하나는 SWOT 분석을 통해 강점, 약점, 기회, 위협을 평가해 보는 것이다. SWOT 분석은 1960년대 스탠포드 대학교에서 당시 포춘 500대 기업의 데이타 분석에 사용되었다. 당시 이 연구에서 35% 의 기업들이 기업의 목표와 실제 Action간 차이가 있는 것으로 나타났다.

SWOT 분석은 프로젝트에 참여한 사람들이 그 프로젝트에 대해 명확히 이해를 할 수 있도록 하는데 큰 도움을 준다. SWOT 분석은 서둘러서 빈 칸을 채우기 보다는 SWOT 분석 각 단계에 시간을 들여 고민하는데 의미가 있다. 어떻게 강점을 강조하고, 약점을 보완할지? 기회를 어떻게 극대화하고, 위협으로부터 보호할지?

SWOT 분석의 재미있는 부분은 SWOT 분석의 유용함에 있다. SWOT 분석은 비지니스 뿐만 아니라 개인의 의사 결정을 위해서도 사용될 수 있다.

과거 본인 삶의 대형 프로젝트에 대해 생각해 보라. SWOT의 각 항목들에 어떤 내용을 채워 넣었는지 그리고 오늘 다시 채워 넣는다면 어떤 내용이 달라져 있는지 비교해 보라.

< 디자인 플랫폼 미리캔버스 >

저작권 걱정 없이 무료로 고퀄리티 PPT, 템플릿, 섬네일, 시각자료, 포스터 등을 만들 수 있는 웹 기반 그래픽 Tool 을 제공한다. 약 5 만개 이상의 무료 템플릿으로 간편하고 편하게 원하는 디자인을 할 수 있다. 파워포인트를 다루기 힘든 분들에게는 최고의 프로그램이다. 회원 가입 후 사용 가능하다. 전문 업체에 맡기지 않아도 상당한 퀄리티로 제작 가능할 만큼 편리하다는 평가가 대부분이다. 다만, 회원 가입을 하지 않으면 일부 기능이 제한되고 가입을 하더라도 프로 요금제를 사용하지 않으면 사진 편집에 제한적이다.

-나무위키-

제3화 비용과 혜택을 평가하는 방법

1970년대 보스톤 컨설팅 그룹은 회사의 포트플리오를 평가하는 방법을 개발했다. 4개 분면을 통해 4가지 투자 방법을 구분했다.

캐시카우는 높은 마켓 쉐어, 낮은 성장율을 보이는 경우로, 높은 수익에도 비용은 많이 들지 않는다. 우유를 짜내 듯 수익을 뽑아내는 전략이 주효하다.

스타는 높은 시장 쉐어와 높은 성장율을 보이는 경우로, 높은 성장율은 많은 투자를 요구한다. 스타가 캐시카우로 변하기를 기대하고 투자하는 게 전략이다.

물음표 또는 문제아라고 하는 영역은 높은 성장 잠재력을 가지고 있지만 시장 쉐어가 낮은 경우이다. 재무적 지원과 노고를 통해 스타로 변신할 수는 있다. 전략을 위해서는 어려운 의사 결정이 요구된다.

개는 포화된 시장에 낮은 쉐어를 의미한다. 재무적 가치 외에 이를 테면 사업에 대한 미련이나 친구에 대한 호의 같은 다른 이유에서 유지되는 경우가 많다. 전략은 청산이다.

시장 성장율
High

스타	물음표
캐시카우	개

Low / High 상대적 마켓쉐어 Low

제4화 멀티 플레이어가 되는 방법

몇 개의 프로젝트를 동시에 추진해 본 경험이 있는가? 멀티 플레이어가 되기 위해서는 업무적 이든 개인적 이든 동시에 진행하는 프로젝트에 대해 비교, 평가할 수 있어야 한다. 예를 들어 비용과 시간을 기준으로 프로젝트를 평가해 볼 수 있다. 비용은 단지 돈 만을 의미하는 것이 아니라 친구, 에너지, 심리적 스트레스 등 모든 리소스를 의미한다.

비용과 시간 외에도 본인의 상황에 맞는 기준을 가지고 구분해 볼 수 있다. 예를 들어 X 축에는 프로젝트가 얼마나 나의 목표를 달성하는데 도움이 될지, Y 축에는 프로젝트를 통해 내가 얼마나 배울 수 있을지 등을 사용할 수도 있다. 노하우는 개인의 목표 성취도와 학습 기회를 축으로 결과를 해석해 보기 바란다.

○ 배울 게 없고 본인의 중요한 비전에 부합하지 않는다면 프로젝트를 거절하라.

○ 배울 건 있지만 비전에 부합하지 않다면 비전에 부합하도록 프로젝트 변경을 시도하라.

○ 프로젝트가 비전에 부합하나, 새롭게 배울 게 없다면 대신 처리할 사람을 찾아라.

○ 뭔가를 배울 수 있고 비전을 성취할 수 있다면 대행운이다.

S 社 20 년 노하우로 터득한 바로는 우리에게 가장 위험한 건 목표가 높아서 그것을 놓치는 것이 아니라 목표가 낮아 그것을 성취해 버리는 것이다.

제5화 올바른 목표를 추구하는 방법

목표를 수립할 때는 최종 목표와 성과 목표를 구분해야 한다. 최종 목표는 "마라톤을 하고 싶다. " 이지만, 성과 목표는 이 최종 목표를 위해 "매일 30분씩 달리기를 하겠다." 이다. 본인의 목표를 직접 적어보고 아래 14개 체크리스트에 맞는지 비교해 보라.

Specific (구체적인가)	The Right Goal	Challenging (도전적인가)
Measurable (측정가능한가)	Positively Stated (긍정적 표현인가)	Legal (합법적인가)
Attainable (달성가능한가)	Understood (이해되었나)	Environmentally Sound (친환경인가)
Realistic (현실적인가)	Relevant (관련성이 있나)	Agreed (동의되었나)
Time Phased (시간 의존적인가)	Ethical (윤리적인가)	Recorded (기록되었나)

몇가지 주의할 것은 목표가 달성할 수 없는 것이면 희망이 없고, 반대로 도전적이지 않으면 동기 부여가 안된다. 비지니스에 코칭을 도입해 세계적인 열풍을 일으킨 사림이 존 휘트모어다. 그는 골프 강습을 하던 어느날 코칭을 받은 사람의 실력이 그렇지 않은 사람보다 훨씬 더 빠르게 향상되는 것을 발견했다. 그가 코칭 경험을 바탕으로 쓴 '성과향상을 위한 코칭 리더십'은 리더십의 필독서로 자리 잡았다.

그가 제시한 대표적인 GROW 코칭 모델은 가장 대표적인 프레임이다. 아래 질문을 통해 피코칭자가 스스로 문제를 명확히 하고 실용적인 대안을 찾을 수 있도록 했다.

○ Goal : 목표 - 단기 및 장기 목표 정의

당신의 목표는 무엇인가?

왜 이 목표를 달성하고 싶은가?

○ Reality : 현실 - 현재 상황 및 문제 탐색

목표를 달성하기 위해 어떤 단계를 수행했나?

목표를 향해 놓치고 있는 것은 무엇인가 ?

○ Option : 옵션 - 해결 가능한 옵션 및 평가

가능한 옵션은 무엇인가?

옵션의 첫번째 단계는 무엇인가?

○ Willingness : 의지 - 실행할 일과 시기 설정

언제부터 시작할 수 있나?

목표를 달성했다는 것을 어떻게 알 수 있나?

제6화 칭찬과 비판을 하는 방법

피드백은 그룹 내에서 가장 어렵고 민감한 프로세스이다. 비판으로 상처를 줄 수 있지만 칭찬도 도움만 되지는 않는다. 칭찬은 과도한 자기만족을 주는 반면, 비판은 자부심에 상처를 주고 현명하지 못한 결정을 하게 만든다.

피드백을 통해 배울 수 있는 것은 현상태로 있을 것과 변경해야 할 것이 무엇인지를 아는 것이다. 피드백 모델은 행동 계획을 세우는데 도움이 된다.

내 생각에 좋았어, 하지만, 변화가 필요해... **충고**	내 생각에 좋았어 나중에도 그대로 해... **칭찬**
내 생각에 틀렸어, 그래서 변경해야만 해... **비판**	내 생각에 틀렸어 하지만, 나는 참을 만 해... **제안**

스스로에게 솔직하게 물어보는 것이 중요하다. 어떤 성공과

실패가 운 때문인지? 스스로 칭찬을 받을 만한 가치가 있는지? 생각은 말이 되고 말은 행동이 되고 행동은 습관이 되며, 습관은 성격이 된다. 그리고 성격은 운명이 된다.

제7화 혁신을 이끌어 내는 방법

형태학의 개념은 1930년대 생물학에서 비롯되었다. 새로운 객체는 기존의 다양한 독립체들의 속성 결합에서 나왔다. 이런 접근은 마케팅 전략과 새로운 생각을 발전시키는 방법에 사용되고 있다.

새로운 자동차를 개발하는 경우를 예로 살펴 보면, 관련된 기준들(자동차 타입, 타겟 그룹 등)을 나열한다. 각 기준별 다양한 속성을 가능한 많이 도출한다. 기존에 있는 것 들에서 새로운 것을 만들어 내기 위해서는 전문가의 도움과 상상력이 필요하다. 결과는 2차원 테이블로 표시할 수 있다. 다음 단계는 브랜인스토밍이 필요하다. 예를 들면 SUV에 에너지 효율적이고 제조 원가는 저렴해야 한다는 기준을 세울 수 있다. 어떤 속성이 이런 요구 조건에 맞는지 선택한 속성들에 선을 이어 보면 새로운 속성의 조합이 희망하는 자동차의 기본 속성이 된다. SCAMPER 체크리스트를 활용하면 창의적인 아이디어를 도출하는데 도움이 된다.

○ Substitute (대체) - 사람, 구성요소, 재료를 대체하라

○ Combine (결합) - 다른 기능이나 물건을 결합하라

○ Adapt (적응) - 기능이나 시각적 외관을 알맞게 맞춰라

○ Modify (수정) - 사이즈, 모습, 조직, 음량을 수정하라

○ Put to other use (다른 용도 확인) - 다른, 새로운, 복합적인 용도를 찾아라

○ Eliminate (제거) - 축소, 단순화, 과도한 것을 제거하라

○ Reverse (반전) - 역으로, 뒤집어서, 반대로 사용하라

혁신은 완전히 새로운 것을 하는 것이다. 그러나 기존에 있던 것들의 새로운 조합을 만드는 것 역시 혁신이다. 아무도 알지 못한 것을 알아 내는 게 아니고, 모두 보고 있지만 아무도

생각하지 못했던 것을 생각해 내는 것이다.

< 한국형 온라인 공개강좌 K-MOOC >

무크(MOOC)는 Massive, Open, Online, Course 의 줄임말로 오픈형 온라인 학습 과정을 뜻한다. 한국형 온라인 공개강좌인 K-MOOC 는 교육부와 사업주관기관인 국가평생교육진흥원 외에 4 년제 대학, 전문대학, 방송대학, 출연연구기관, 기업 및 공공기관 등이 참여해 추진하고 있다.

K-MOOC 홈페이지에 강좌를 제공하고 운영하는 참여기관은 2023 년 6 월 기준 188 개다. 강좌는 인문, 사회, 교육, 공학, 자연, 의약, 예체능의 분야들로 분류 되어 있으며, 영어로 제공되는 강좌도 있다. 강좌 종료시 이수증을 받을 수 있고, 청강 기능도 있어서 이수증 없이 그냥 강의를 듣기만 하는 것도 가능하다.

-나무위키-

제8화 적시에 결정하는 것이 중요한 이유

우리는 종종 제한되고 모호한 정보를 바탕으로 결정을 해야 되는 경우가 있다. 예를 들어 프로젝트의 초기 자세한 정보 없이 결정을 해야 하고 그 결정이 결과에 영향을 미치게 된다. 프로젝트가 끝나갈 때 쯤에는 의구심은 사라지고 보다 많은 것을 알게 된다. 하지만, 그 때는 더이상 결정할 일이 남아 있지 않게 된다

정도

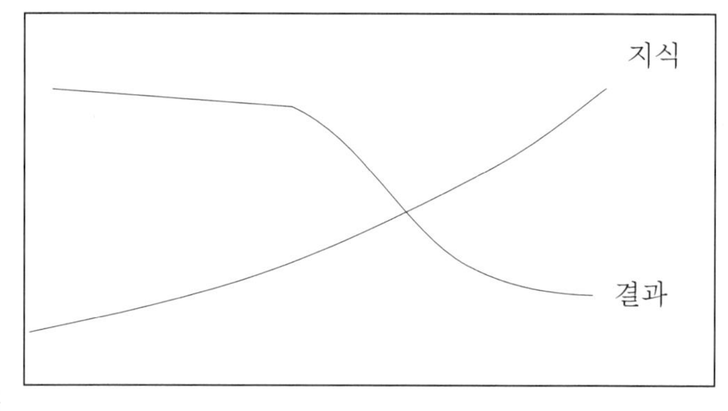

시간

중요한 질문은 의문과 결정의 갭을 어떻게 극복하는가 이다. 우리는 종종 의문이 있을 때 결정을 미루게 된다. 그러나 결정을 내리지 않는 것 또한 중대한 결정이다. 하지만, 우리가 범하는 잘못은 결정을 미루고 커뮤니케이션을 하지 않는다. 이것이 팀에 불확설성을 가져온다. 따라서 결정을 미루고 싶다면 분명히 커뮤니케이션을 해야 한다.

사람들은 하지 않은 일보다 본인이 한 일에 대해 후회하는 경향이 있다.

제9화 갈등을 해결하는 방법

심리학자들은 교착 상태나 비난을 피하고, 갈등을 안정과 커뮤니케이션을 회복하는 방향으로 해결해야 한다고 주장한다. 문제는 어떻게(How)이다. 이론상 6가지 방법이 있다. 피하기, 싸우기, 포기하기, 책임 회피하기, 타협하기, 합의하기

○ 피하기 (Flight) - 회피하는 것. 갈등을 다루지 않고 상황을 그대로 유지하는 것이다. 어느 쪽도 아무 것도 얻지 못한다. lose-lose 상황이 된다.

○ 싸우기 (Fight) - 갈등을 공격적으로 다루는 사람은 이기는 한 가지 목표만 가지고 있다. 한쪽만 이길 수는 없고 다른 한 쪽은 패배하는 것이다. 상대방을 정복하는 것이다. 다른 편의 저항에도 불구하고 자신의 주장을 확고히 하는 것이다. 결과는 win-lose 상황이 된다. 하지만, 영원한 적을 양산하는 대가를

치워야 하기 쉽다.

○ 포기하기 (Give-up) - 자신의 입장을 포기하는 사람은 갈등에서 물러남으로써 해결하는 것이다. 결과는 lose-win 상황이 된다.

○ 책임 회피하기 (Evade Responsibility) - 갈등에 대한 결정을 다른 사람에게 위임하는 것이다. 권위로 해결하는 것이 꼭 더 현명한 판단이라고 할 수는 없다. 갈등의 양쪽 당사자 모두 패배하는 위험이 있다. 결과는 lose-lose 상황이 된다.

○ 타협하기 (Compromise) - 어떻게 인식되는지에 따라 타협이 양측의 해결 방안이 될 수 있다. 이상적인 결과는 아닐지라도 처해진 상황에서 이성적인 것일 수 있다. 결과는 win-lose / lose-win 상황이 된다.

○ 합의하기 (Reach a consensus) - 합의는 양측에 의해 개발된 새로운 해결책에 기반한다. 양측의 win-win 상황이 된다. 어느 쪽도 물러설 필요가 없는 것으로 양측이 제 3의 방법을 함께 개발하는 것이다.

우리의 실패는 고통스러운 패배에서 오는 것이 아니라 우리가 참여하지 않은 갈등에서 온다.

< 딜레마를 다루는 방법 >

당신의 소중한 친구, 동료, 고객이 직업을 바꾼다든가, 조기 퇴직을 결정해야 하는 상황처럼 자신의 미래에 되돌릴 수 없는 영향을 줄 수 있는 결정을 내려야 하는 상황에 처해 있다면 어떤 조언을 하겠는가?

장점과 단점이 명확한 경우가 아니라면 “고무줄 모델을 활용해 당신을 붙드는 것은 무엇인지? 당신을 끄는 것은 무엇인지? “ 상대방에게 스스로 질문을 하도록 해보라.

언뜻 보기에는 "pro & con?" 하는 전통적인 질문과 유사한 것처럼 보인다. "좋은 점은 무엇이고 나쁜 점은 무엇인가?" 하는 일차원적 질문을 2 가지 매력적인 대안에 대한 질문으로 바꾸어 보면 딜레마를 해결하는데 좀 더 도움이 된다.

제 10 화 업무를 선택하는 방법

우리는 삶에서 교차로에 서있는 듯한 기분이 들 때, 어디로 가야 할 지 막막할 때에 처하곤 한다. 교차로 모델은 삶에서 방향을 정할 때 도움이 된다. 아래 질문에 답을 해보기 바란다.

○ 어디에서 왔는가? - 지금의 당신은 어떻게 이루어 졌나? 삶에서 주요 결정, 이벤트, 장애는 무엇이었나? 어떻게 성장할 수 있었는지 생각해 보라. 그리고 스스로 중요하다고 생각하는 것들을 적어 보라.

○ 당신에게 중요한 것은 무엇인가? - 머리 속에 떠오르는 3 가지를 적어 보라. 세부적으로 상세히 적을 필요는 없다. 당신이 중요하게 생각하는 가치들은 무엇인가? 당신이 믿는 것은 무엇인가? 당신에게는 어떤 원칙이 중요한가? 모든 것이 실패한다면 당신에게 남는 것은 무엇인가? 등을 생각하고 적어 보는 것이다.

○ 어떤 사람이 당신에게 중요한가? - 당신이 상대의 의견을 중요하게 여기는 사람을 생각해 보라. 그 사람이 당신의 결정에 영향을 미치고 그 사람 역시 당신의 결정에 영향을 받는 사람. 당신이 좋아하는 사람과 당신이 두려워하는 사람을 생각해 보라.

○ 무엇이 당신을 방해하는가? - 당신 삶의 어떤 측면이 중요한 것을 생각하는데 방해하는가? 당신의 머릿속에는 어떤 마감 시한이 있는가? 무엇이 당신을 방해하는가? 무엇을 언제까지 해야만 하나?

○ 두려워하는 것은 무엇인가? - 당신을 걱정하게 하거나 힘 빠지게 하는 사물이나, 상황, 사람을 적어보라.

적은 것들을 보라. 무엇이 빠졌나? 어떤 주제가 떠오르나? 당신이 적은 키워드 들이 지금의 당신이 당신처럼 되게 한 이야기를 하고 있다. 필요하다면 키워드나 질문을 더 적어 보고, 당신 앞에 놓인 길을 보라. 다음의 6 가지 상황을 상상해 볼 수 있을 것이다.

○ 손짓하는 길 - 당신이 늘 해보고자 원했던 길

○ 내 꿈에 상상했던 길 - 달성을 할 수 있건 없건 당신이 꿈꾸던 길

○ 나에게 가장 합리적인 것처럼 보이는 길 - 내가 존중하는 사람이 제안하는 길

○ 여행해 보지 않은 길 - 예전에는 생각해 보지 못한 길

○ 내가 이미 걷고 있는 길

○ 한때 안전하다고 느꼈던 길로 되돌아 가는 길

가슴 뛰는 삶을 살고 싶다면 이제 당신이 결정하라. 무언가를 처음으로 해본 게 언제가 마지막이었나?

제11화 당신을 행복하게 하는 것

2천여년전 아리스토텔레스는 '사람은 행복하기를 원한다' 는 평범한 결론을 얻었다. 1961년 미국의 심리학자 칙센트미하이는 '행복은 그 자체로 추구의 대상이 되는 반면, 건강, 아름다움, 돈, 권력 등은 행복을 가져다 줄 것이라는 믿음 때문에 사람들이 추구한다고 주장했다. 칙센트미하이는 행복을 느끼는 상태를 표현하는 단어로 플로우(flow) 라는 단어를 썼다. 언제 우리는 플로우를 느끼나?

수 천명의 인터뷰를 통해 사람들이 행복을 느끼는 건 다음 5가지 상황이라는 것을 발견했다.

○ 스스로 선택한

○ 어떤 행동에 매우 집중하고

○ 너무 쉽거나, 너무 어렵지 않고

○ 분명하고 객관적이며

○ 즉각적인 피드백을 받을 때

칙센트미하이는 사람들이 플로우 상황에서 만족감 뿐만 아니라 시간 관념과 스스로 무슨 일을 하고 있는지 조차 잊어 버린다. 음악가, 운동선수, 배우, 의사, 예술가들은 자신의 일에 몰입했을 때 가장 행복했다고 생각한다. 통상 행복은 휴식과 관련이 있다는 생각과 완전히 모순되게 몰입은 매우 힘든 일을 할 때 찾아 온다.

Chap 3. 스스로를 이해하는 방법

제1화 다른 사람들이 아는 당신

우리는 스스로 자신의 성격에 대해 잘 알지 못한다. 사람들이 MBTI에 열광하는 이유는 스스로 알지 못하는 자신의 모습을 객관적으로 명쾌하게 제시해 주기 때문이다. 우리는 자신의 성격이 외부에 노출된 것을 통해 스스로의 모습을 알 수 있다. 조하리의 창은 조셉 루프트(Joseph Luft)와 해리 인그램(Harry Ingham)의 이름 첫 글자를 따서 만든 것이다. 4개의 창을 통해 개인의 인식을 구분한다.

다른 사람에게 알려진 나

A. 내가 아는 것을 다른 사람에게 알리고 싶음	C. 나만 모르고, 다른 사람들은 아는 나
B. 내가 아는 것을 다른 사람에게 숨기고 싶음	D. 나도 모르고 다른 사람도 모르는 나

다른 사람에게 알려지지 않은 나

내가 아는 나 　　　　　　　　　　 내가 모르는 나

○ A : 우리가 스스로 알고 있는 성격과 경험으로 우리가 기꺼이 다른 사람에게 이야기하고자 하는 것

○ B : 숨겨진 것으로 우리가 스스로에 대해서 알지만 다른 사람에게 노출 시키지 않고자 하는 것. 우리가 다른 사람과 신뢰 관계가 깊어질수록 사이즈는 작아진다.

○ C : 우리가 스스로 알지 못하는 것이나 다른 사람들은 분명하게 알 수 있는 것. 우리가 분명히 노출한다고 생각하지만 다른 사람들은 분명히 다르게 이해하는 것. 피드백은 도움이 되지만 상처를 주기 쉽다.

○ D : 우리 스스로는 물론 다른 사람에게도 숨기는 것으로 우리는 스스로 생각하는 것보다 복잡하고 다면적이다. 때때로 무의식 속에서 표면으로 나타나기도 한다. 이를 테면 꿈 같은 것이다.

예를 들어 재미있는, 믿음직한 같은 본인을 잘 설명하는 수식어를 생각해 보라. 친구나 동료와 같은 다른 이들에게 당신을 잘 설명하는 수식어를 고르게 해 보라. 그러면 그

수식어가 어느 분면에 적정한지 알 수 있게 된다. 이 연습을 당신의 파트너와 해보라.

< 민간자격증 >

민간자격증이란 국가 기관이 아닌 민간이 발행하는 자격증을 의미한다. 현재 대한민국 법에서는 누구나 신고·등록 절차만으로 자격증을 발급할 수 있다.

민간자격증은 공인과 비공인 자격으로 구분하는데 공인 자격은 현재 95 개, 비공인 자격은 무려 3 만여개(2019 년 2 월 기준) 가 등록되어 있다.

민간자격 국가공인제도는 정부가 민간자격에 대한 신뢰를 확보하고 사회적 통용성을 높이기 위하여, 1 년 3 회 이상 검정실적이 있고, 법인이 관리, 운영하며, 민간자격 등록관리 기관이 등록한 자격 중, 우수한 자격을 자격정책심의회의 심의를 거쳐 공인하는 제도를 말한다.

-위키백과-

제2화 인지 부조화를 극복하는 방법

우리가 생각하는 것과 우리가 하는 행동에 큰 차이가 있는 경우가 있다. 우리는 비윤리적이거나, 잘못되었다거나, 어리석은 것을 알면서도 하는 경우가 있다.

심리학자 페스팅거(Leon Festinger)는 '인지 부조화'라는 단어를 통해 우리의 행동이 신념과 일치하지 않는 심리 상태를 표현했다. 왜 우리는 우리의 실수를 인정하는 게 그렇게 어려울까? 우리는 스스로의 단점에 직면해 우리의 행동을 보호하려고 할까? 용서를 구하는 대신에 우리의 인성에 어울리지도 않는 자기 합리화를 꺼내 드는 것일까?

하지만, 이런 자기보호 메커니즘 덕분에 우리는 밤에 잠을 잘 수 있게 되고, 자기 의심으로부터 자유롭게 된다. 우리는 우리가 보고 싶은 것만 보고 모순된 모든 것을 무시한다. 우리의 입장을 강화해주는 주장만을 찾게 된다.

우리의 행동을 바꾸거나 우리의 태도를 바꾸어 이런 불협화음을 극복할 수는 없을까? 가장 쉬운 방법은 자신의 잘못을 지적하는 사람을 최고의 자애로운 스승으로 생각하는 것이다.

< 출처: 상식으로 보는 세상의 법칙: 심리편, 네이버 지식백과 >

제3화 당신이 배운 것들을 기억하는 방법

장기 기억은 2가지 구성 요소로 되어 있다. 회상력과 안정성이다. 회상력은 얼마나 쉽게 기억하는지 이고 의식의 표면에 얼마나 가까이 정보들이 헤엄치고 있는가에 달려 있다. 안정성은 반대로 우리 뇌 속에 정보가 얼마나 깊이 박혀 있는가에 달려있다. 어떤 기억은 높은 수준의 안정성과 낮은 수준의 회상력을 가지고 있다. 예전 휴대폰 번호를 회상해 보라. 아마도 기억 하기 어려울 것이다. 하지만 당신이 눈 앞에 그 숫자를 볼 수 있게 된다면 즉각적으로 알아볼 것이다.

만일 중국어를 배운다고 상상해 보라. 단어를 배우고 기억을 하지만, 연습이 없으면 기억하기 어렵다. 완전히 잊어버리는데 드는 시간을 계산해 볼 수는 없지만, 이론상 망각의 과정 중에 그 단어를 기억할 수 있을 것이다. 사람들은 더 오래 되뇌일수록 더 오래 기억할 수 있다. 이런 학습 프로그램을 슈퍼메모라고 한다. 무언가를 배운 뒤에는 당신의 기억을 1, 10, 30, 60일 주기로 새롭게 해보라. 놀라운 경험을 하게 될 것이다.

< 몽테카를로 모델 >

파이(3.1415927...)를 수학자들은 무리수라고 한다. 이 숫자를 끝까지 쓸 수 없다. 소숫점 이하 숫자는 랜덤하게 보이며 무한대로 계속된다. 기후 변화나 주가 움직임 같은 랜덤 현상은 우리가 예측할 수 있는 것처럼 보이지만, 실제로는 알 수 없는 많은 현상에서 나타난다.

주사위를 굴리면 1,2,3,4,5,6 이 나온다. 하지만 어떤 상황에서 어떤 숫자가 나올지 알 수 없다. 이것이 몽테카를로 시뮬레이션이 작동하는 원리다. 랜덤으로 여러 번 시행을 할 때 결과를 확률 계산과 통계를 통해 제시한다.

몽테카를로 모델이 중요한 이유는 모델이 현실 그대로를 나타내는 것은 아니나, 현실의 어림을 나타내 주기 때문이다.

제4화 직업을 바꿀 때를 아는 방법

많은 사람들이 자신의 일에 행복해 하지 않는다. 이 모델은 당신의 직업 상태를 측정하는데 도움을 준다. 3주간 매일 저녁 스스로에게 아래 질문을 해보고 1(전혀 해당하지 않음)에서 10(완전히 해당함)까지 점수를 매겨 보라

○ 의무 (have to) - 현재의 일이 나에게 부과된 것인가? 혹은 요구된 건가?

○ 능력 (able to) - 현재의 일이 나의 능력에 맞나?

○ 희망 (want to) - 현재의 일이 내 희망과 맞나?

3주뒤, 삼각형의 모습을 분석해 보라. 삼각형이 움직임이 있으면 당신의 일은 다양성을 제공하는 것이다. 삼각형의 모습이 항상 같은 모습이라면 직업을 바꿀 때인지 스스로 알 수 있도록 아래 질문을 다시 한번 스스로에게 해보라.

○ 원하는 것이 무엇인가?

○ 당신이 원하는 것을 할 수 있나?

○ 당신이 원하는 것을 위해 지금 할 수 있는 건 무엇인가?

○ 당신이 할 수 있는 것을 원하는가?

< 건강한 업무 환경을 만드는 방법 >

어떤 팀은 서로 일을 잘 해내고 어떤 팀은 그렇지 못할까? 작동하는 조직과 그렇지 못한 조직의 미묘한 차이는 무엇일까? 우리가 알 수 있는 한가지는 커뮤니케이션이 건강한 업무 환경에 중요하다는 것이다.

MIT 연구 결과는 다른 이에게 더 많은 이야기를 하는 사람이 일에만 집중한 사람보다 행복한 것으로 나타났고, 보다 생산적이었다.

제5화 미래를 결정하기 위해 과거를 이해 하는 방법

전략적 결정을 할 때 우리는 미래에 집중한다. 우리의 꿈은 미래에서 펼쳐지고, 우리의 희망은 이런 꿈을 펼치는데 고정되어 있다. 그러나 왜일까? 그것은 아마도 우리가 우리 미래를 결정할 수 있다고 생각하기 때문일 것이다. 그렇지만 모든 미래는 과거를 가지고 있다. 우리의 과거는 미래를 결정할 기초가 된다.

중요한 질문은 '내 미래를 어떻게 예측하는가'이다. 즉, '과거와 미래의 연결점을 어떻게 만드는가'이다. 과거에 사건 중 미래에 관련이 있을 것들은 무엇이고, 잊어도 좋은 것은 무엇인지, 과거에서 미래로 가지고 가야 하는 것은 무엇인지를 이해하는 것이 중요하다.

일단 기간을 작년, 학창시절, 결혼, 혹은 회사 창립 부터 지금까지 식으로 정해야 한다. 그리고 시작점부터 생각을 거슬러 올라가서 아래 내용을 각 기간에 더해 본다.

○ 관련된 사람들

○ 당시의 목표

○ 성공과 실패

○ 극복하기 어려웠던 장애

○ 과거의 사건에서 배운 것들

이 방법은 당신의 과거에 있었던 중요한 것들을 통해 미래를 예측하는데 도움을 줄 것이다.

제6화 조직에서 실수를 줄이는 방법

모든 사람은 실수를 하지만, 어떤 사람은 그 실수로부터 배움을 얻고 어떤 사람들은 그 실수를 반복한다. 실수에 대해 알아야 하는 것이 있다. 실수에도 서로 다른 유형이 있다.

○ 진짜 실수 - 잘못된 프로세스가 수행될 때 발생한다.

○ 블랙 아웃 - 프로세스 일부가 잊혀졌을 때 발생한다.

○ 슬립 업 - 올바른 프로세스가 잘못 수행될 때 발생한다.

실수에 영향을 주는 많은 요인들이 있다.

○ 관련된 인물 - 보스, 팀, 동료, 친구

○ 기술적인 조건 - 장비, 작업장

○ 조직적인 요인 - 업무 수행, 타이밍

○ 외부 요인 - 시간, 경제적 상황, 분위기, 기후

실수의 원인과 결과에 대한 가장 인상적인 설명은 스위스 치즈 모델이라고 한다. 이 모델은 실수가 발생한 각 레벨을 [2]에멘탈 치즈 조각에 비유한다.

실수가 없는 세상에서 치즈는 구멍이 없을 것이다. 그러나 현실에서 치즈는 얇게 썰수록 모든 조각이 많은 구멍을 가지고

---

2 네이버 지식백과 , 표면에 큰 구멍들이 뚫려 있는 커다란 노란색의 경질 치즈, 에멘탈 치즈의 이름은 스위스 베른 주의 동쪽에 위치한 '에멘(Emmen)'이라는 지역명과 독일어로 "계곡"을 뜻하는 '탈(tal)'을 합친 것으로 이 치즈가 생산되는 에멘 계곡의 이름을 딴 것이다. 에멘탈 치즈는 '에멘탈러(emmentaler)', '에멘탈(emmenthal)' 혹은 '스위스 치즈(Swiss cheese)'로 불리기도 한다.

있다. 각 조각에 서로 다른 위치에 구멍이 존재한다. 만약 실수가 여러 조각의 치즈 중 한 조각의 한 구멍만 통과한 것과 같다면 그 실수는 의식하지 못하거나 아무 문제 없을 것이다. 그러나 서로 다른 조각의 치즈를 한 구멍으로 관통했다면 큰 재앙이 될 것이다. 한번의 실수가 치명적인 결과를 일으키는 경우가 될 것이다. 조직에서 실수를 줄이는 방법은 조직 내 적절한 업무 분장을 통해 구멍이 전체 조직을 관통하는 일이 없도록 하는 것이다. 경험은 모든 이가 실수에 부여하는 이름이다.

제7화 박스 밖에서 생각하는 방법

기존 생각에 변형이 아닌 정말로 혁신적인 아이디어는 드물다. 혁신은 우리가 편안한 영역을 떠나 기존 규칙을 깰 때 나온다. 여기서 사용되는 예는 9개의 점을 연결하는 문제이다.

○ 과제 - 9개의 점을 종이에서 펜을 떼지 않고 연결하는 것

○ 해법 - 선을 박스 밖으로 연장해서 연결하는 것

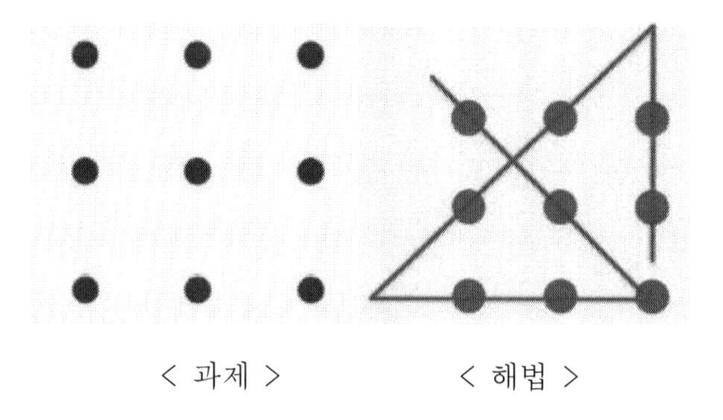

< 과제 > < 해법 >

이 문제는 창조적 사고의 예로 사용된다. 그러나 서둘러 결론을 내리지 마라. British Columbia 대학의 심리학 교수인 피터

슈펠드(Peter Suedfeld) 박사는 재미있는 발견을 찾아냈다. 그는 제한공간자극기술(Restricted Environment Stimulus Technology)을 발선시켰다. 이것은 사람들이 어두운 방에서 시각적 청각적 자극없이 시간을 보낼 때 혈압은 낮아지고 분위기도 좋아지고 더욱 창의적이 된다는 것이다. 박스 밖에서 생각하고자 하는 사람은 박스 안에서도 더 잘한다.

제8화 사회계층을 이해하는 방법

사회계층은 한 사회 내, 영속적, 동일적 특성을 가진 집단을 말한다. 고정불변이 아니라 계층 간 이동이 가능하다. 같은 사회계층은 유사한 행동양식을 가지고 있으므로 기업의 마케팅 활동에 유용한 정보가 되며, 이것이 사회 계층을 구분하는 목적이 된다.

같은 계층 내 구성원은 동질적 특성을 가지며, 계층 간은 이질적이다. 특정 사회 계층을 구분 짓는 기준은 라이프스타일처럼 사장 세분화 및 제품 개발과도 연관성이 높다. 일반적으로 사회 계층을 구분 짓는 기준은 사회적 지위, 가치관, 직업, 학력(교육수준), 재산, 소득, 경제력 등 다양하다. 이는 인구통계적 변수와도 상호 관계를 가진다.

소비자가 어느 사회 계층에 속하느냐는 구매행동에 큰 영향을 끼치게 된다. 따라서 마케터는 사회 계층을 통해 소비자 행동의 범위와 성격을 이해하여 시장 기회를 예측하는데 활용할 수 있다.

사회 계층을 분류하기 위한 측정 방법은 설문을 이용해 직접 물어보는 주관적 방법, 주변인에게 특정인에 대해 평가를 요구하는 평판 이용법, 측정 가능한 각 변수의 정보에 가중치를 적용해 객관적 사실을 근거로 사회 계층을 평가하는 객관적 방법이 사용 된다.

제9화 질문 하는 방법

긍정적 질문(Appreciative Inquiry, 이하 AI)은 미국 경영 전문가 쿠퍼라이더(David Cooperrider) 가 제시한 방법으로 약점 보다 강점, 긍정적 특징, 기업, 사람의 가능성에 집중 하는 것이다. 무엇이 문제인가? 라는 고전적인 질문 대신 지금 무엇이 잘되고 있나? 라는 질문으로 대체하는 것이다. 약점에 집중하면 착수 단계에 부정적 인상을 줄 수 있다.

모든 개인, 시스템, 제품, 아이디어는 결함이 있다. 베스트 시나리오는 이 결함을 아는 것에서부터 완벽을 추구할 수 있다. 그러나 많은 경우 아이디어나 프로젝트의 결함에 초점을 맞추면 긍정적 접근에 장애를 준다. 기본 원칙은 조기에 폐기하기 보다는 아직 충분히 발전하지 않은 아이디어를 받아들이고 지속적으로 발전시키는 것이다.

사람들은 종종 대화 방법에서 자신의 성격을 노출한다. 아래 4 가지 타입은 어떻게 사람들이 제안에 대해 반응하는지를 보여준다.

○ 잘못찾기(Fault Finder) - 아이디어는 좋은데, 하지만...

○ 독재자(Dictator) - 안돼

○ 학교 선생님 (School Teacher) - 안돼, 그런 생각은 좋지 않아, 왜냐하면...

○ 긍정적 질문 (AI Thinker) - 좋아, 우린 이렇게도 할 수 있어...

모든 바보들은 비난을 할 수 있다. 그리고 대부분 바보들은 그렇게 하고 있다.

건설적

아니요, 왜냐하면...	네, 그리고..
아니요	네, 하지만,

파괴적/부정적 긍정적

제10화 파레토 법칙

20세기 초에 이태리 경제학자 파레토(Vifredo Pareto)는 이태리 부의 80%는 인구의 20%가 차지한다고 주장했다. 그뿐만 아니라, 20% 작업자가 80%의 일을 하고 20%의 범죄자가 80%의 범죄를 저지른다. 20%의 운전자가 80%의 사고를 내고 20% 투자 회사가 80% 투자를 하고 20%의 술집 손님이 80%의 술을 소비하고, 우리는 옷장에 옷들 중 20%만 입는다. 20%의 친구들과 80% 시간을 같이 보낸다. 비지니스 회의에서 80% 결정이 20% 시간에 이루어지며, 20%의 고객이 80%의 매출을 차지한다. 자신의 시간을 적절히 사용하고자 하는 사람은 일에 투여된 시간의 대략 20% 시간이 80% 의 결과를 가져온다는 것을 알아야 한다.

물론 파레토 법칙이 모든 것에 적용되는 것은 아니다.

수학자들은 보다 정확하게 64/4원리를 더 좋아한다. 80%의 80%는 64이고 20% 의 20%가 4%이다.

< 스스로를 이해하는 방법 >

○ 스스로 아는 "나"

○ 다른 사람들이 아는 "나"

○ 자신 스스로에 대해 어떻게 보였으면 하는 "나"

○ 다른 사람들이 자신을 어떻게 봐주기를 바라는 "나"

사람들은 항상 4가지 관점에 영향 받는다. 스스로를 이해하는 방법은 먼저 스스로 생각하는 자신의 모습에 1에서 10까지 점수를 매겨보라. "당신은 내용과 형식 중 어느 쪽에 더 신경을 쓰는지? 몸과 마음 어느 쪽이 더 중요한지?" 각 점수를 연결해 보라. 그 다음 다른 색 펜으로 당신이 어떻게 보이기를 원하는지를 표시해 보라. 다음 주위의 동료에게 당신에 대한 평가를 요청해 보라. 생각하지 못했던 자신의 모습을 발견하게 될 것이다.

제11화 블랙 스완 모델

매일 사료를 먹는 닭들은 친절한 인간이 매일 같이 사료를 줄 것이라 기대를 한다. 닭들의 삶에 어떤 단서도 어느 날 닭들이 죽음을 맞게 된다는 사실을 보여 주지 않는다.

예를 들어 2대의 보잉 항공기가 미국 무역센타를 향해 날아 갈 때 사람들은 쇼크에 빠졌다. 대재앙이 아무런 경고도 없이 벌어진 것 처럼 보였다. 그렇지만 911 몇 주, 몇 달 후 실제 모든 사안들이 이 재앙을 가리키고 있었다.

레바논 작가인 나심 니콜라스 탈레브(Nassim Nicholas Taleb)는 이런 현상을 블랙 스완이라고 했다. 우리가 과거로부터 미래를 예측할 수 없는 현상이다. 서양 세계에서 모든 백조는 하얀색이다. 하지만 자연과학자가 17세기 검정 백조를 발견했다. 이전에는 상상도 할 수 없었던 것이 갑자기 당연하게 되었다.

탈레브(Taleb)의 블랙 스완 이론은 원인과 결과 원리를 거부하는 것이다. 우리는 우리가 세워 놓은 기준에 너무 집착하는 경향이 있다는 것을 보여 준다. 당신의 삶에 블랜 스완은 무엇인가? 당신 삶 속에 예상하지 못했던 사건? 그것은 언제 일어났나?

< 바이럴이 중요한 이유 >

사회 심리학자 밀그램은 세상의 모든 사람은 최대 6 단계만 거치면 서로 연결되어 있다고 주장했다. 1990 년대 이 모델은 파티 게임으로 각광을 받게 되었다. “나는 누구를 아는 어떤 사람을 알고 있어...” 하는 식이다.

이런 ‘작은 세상’ 현상은 바이럴 마케팅에서 더욱 흥미롭게 된다. 페이스북과 같은 소셜 미디어는 얼마나 많은 사람을 아는지를 보여 준다. 이제 당신이 무엇을 할 수 있는지가 아니고 당신이 누구를 아는지가 중요하다.

제12화 캐즘 모델

왜 어떤 아이디어는 유행이 되고, 어떤 것은 잠깐 피어났다가 시들고, 또 어떤 것들은 바로 사라지나? 사회학자들은 이를 확산 이론으로 설명한다. 가장 유명한 확산 이론 중 하나가 라이언(Bruce Ryan) 과 그로스(Neal Gross) 교수의 1930년대 하이브리드 옥수수 확산에 관한 연구이다. 새로운 형태의 옥수수는 모든 면에서 기존의 옥수수보다 좋았다. 그러나 확산되는데 20년이나 걸렸다.

확산 연구자들은 1928년 새로운 옥수수를 받아 들인 농부들을 '혁신가'라고 부른다. 그리고 이들 혁신가들에 영향을 받은 좀더 많은 수의 농부들을 '초기 수용자' 라고 한다. 초기 수용자들은 오피니언 리더로서 존경받는 사람들이었다. 이들은 혁신가들의 실험을 관찰하고 받아들였다. 그 뒤로 1930년 말에 '회의적인 다수'가 뒤를 이었다. 이들은 성공적인 농부들에 의해 시도되기 전까지는 어떤 것도 변화하지 않았다. 그러나 어느 순간 이들도 하이브리드 옥수수에 설득되었다. 그리고 궁극적으로 보수적인 나머지 농부들 에게도 전파되었다.

이런 발전은 전형적인 전염병의 확산의 형태를 띤다. 처음에는 점진적으로 나타나 어느 순간에 중요한 순간에 이른다. 이 중요한 순간에 캐즘이 나타난다. 초기 수용자가 캐즘을 넘어 회의적인 다수에 이르면 전파 사이클은 티핑포인트에 이르게 된다. 회의적 다수자가 제품을 수용할 때 곡선은 급격하게 올라가 '보수적인 나머지'들만 남을 때까지 증가한다.

휴대폰과 같은 혁신 제품은 사이클이 매우 짧다. 재미있게도 '초기 수용자'들은 '다수자'들이 수용하기 시작하자마자 새로운 것을 찾아 기존 제품을 외면한다. 캐즘 모델은 미국 컨설턴트이자 작가인 조지 무어에 의해 소개되었다.

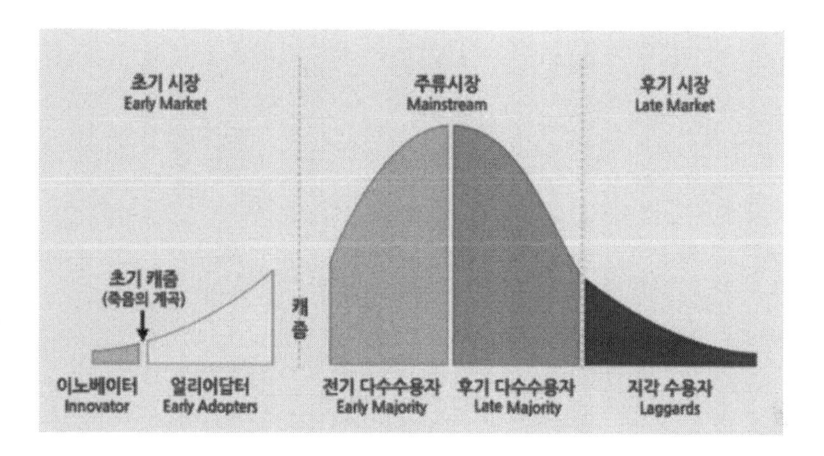

< 캐즘 마케팅 모델 >[3]

[3] 네이버 블로그(https://blog.naver.com/suntome11/223195964646)

제13화 블랙 박스 모델

우리 세상이 점점 복잡해 진다는 것은 논란의 여지가 없다. 흑백, 선악, 시비가 복잡한 구조로 바뀌어서 많은 사람들이 어둠의 세계에 남겨져 있다.

우리 주변의 세계가 빠르게 바뀌고 복잡해지며, 우리가 실제 아는 것, 우리가 파악하고 이해하는 것이 줄어 들고 있다. 1980년대 교사들은 학생들에게 컴퓨터의 작동 원리를 가르쳤다. 오늘날은 우리 주변의 것들을 이해하지 못하는 것을 당연하게 여긴다. 예를 들어 휴대폰 같은 것들이다. 만약 어떤 사람이 우리에게 AI 원리나 DNA 코드에 대해 설명하려고 하면 우리는 이해하지 못할 것이다.

우리는 점점 우리가 이해하지 못하는 복잡한 구조인 블랙 박스에 둘러싸이게 된다. 우리는 그 내부 구조를 알지 못하지만 그

인풋과 아웃풋을 통합해 결정을 하게 된다.

우리가 이해하지는 못하지만, 단순히 믿어야 하는 것들이 증가한다. 결과적으로 우리는 실제 설명보다는 설명할 수 있는 사람에게 보다 가치를 부여하게 된다. 미래에는 주장 보다 이미지와 감정을 가지고 사람들을 확신시키는 것이 기준이 될 것이다.

Chap 4. 그룹을 팀으로 만드는 방법

제1화 팀 리더가 되는 방법

수많은 팀 성과나 전략 모델이 있다. 최고이자 가장 단순한 모델은 아마도 Grove 컨설팅의 드렉슬러(Alan Drexler)와 시베트(David Sibbet)가 개발한 모델일 것이다. 이 모델은 프로젝트에 참가하는 참가자들이 겪게 되는 7가지 단계를 잘 나타내고 있다. 각 레벨에는 스스로에게 하는 질문이 한가지씩 있다.

프로젝트 초기에는 "내가 왜 여기 있지?" 중간에는 "어떻게 될까?" 마지막에는 " 왜 계속하지?" 하는 식이다. 프로젝트 과정에는 참여자들이 느끼는 감정을 표현하는 수식어들이 있다.

프로젝트 과정은 물론 각 단계가 마무리 될 때다다 느끼게 되는 것이다. 대부분 사소하게 혹은 심각하게 모든 그룹들이 각 단계를 겪는다. 만약 단계를 뛰어넘었다면, 나중에라도 반드시

돌아오게 된다.

당신이 팀 리더 라면 프로젝트 초기에 모델을 제시해야 한다. 그리고, 프로젝트가 시작되고 나면 참여자들에게 정기적으로 물어 봐야 한다.

○ 지금은 프로젝트의 어떤 단계인지?

○ 다음 단계까지 무엇이 필요한지?

당신의 팀원들이 어떤 단계인지 불명확하다면 각 단계의 수식어를 살펴 보라. 그리고 스스로 에게 어떤 수식어가 자신은 물론 팀에 잘 어울리는지 질문을 해보라.

그룹내 부정적 감정이 일어나는 것을 두려워 말라. 공개된 갈등은 차라리 몇 단계씩 속앓이 하는 것이나, 다음 단계에서 이전에 다루어 졌어야 할 문제라고 후회하는 것 보다 낫다.

주의할 것은 당신의 팀을 모델에 억지로 맞추려 하지는 마라. 이 모델은 방향을 제시하는 보조 도구로 나침반이지 속도계가 아니다.

제2화 팀 모델

국가 대표 감독이든, 회사를 운영하든, 투자 회사를 시작하든, 스스로에게 같은 질문을 하게 될 것이다. 이 프로젝트에 올바른 사람들을 가지고 있나? 우리의 재능은 우리의 목표에 부합하나? 우리는 우리가 원하는 일을 할 수 있나?

이 팀 모델은 당신의 팀을 평가하는데 도움을 줄 것이다. 프로젝트 수행에 중요하다고 생각하는 기술이나 전문성, 자원에 대한 정의부터 시작하라.

업무에 절대적으로 필수적인 기술을 적어보라. 소프트 스킬과 하드 스킬을 구분하라. 소프트 스킬은 충성심, 동기, 신뢰도 같은 것이다. 하드 스킬은 컴퓨터, 비지니스, 외국어 능력 등 이다. 각 스킬에 대해 절대적인 경계를 0에서 10까지 정하라. 예를 들어 수용할 만한 영어 실력은 5 이런 식이다. 다음 참여자 들을 이

기준에서 판단해 보라. 각 점을 연결해 보라. 팀의 약점은 무엇인가? 팀의 강점은?

모델 자체 보다 중요한 것은 팀 멤버들의 자체 평가이다. 좋은 팀은 정확히 자신들의 능력을 평가한다. 진정한 힘은 동질성이 아니라 차이점에 있다.

제3화 종업원들을 성공적으로 관리하는 방법

지난 수 백년간 조직 이론은 여러번 변경되어 왔다. 테일러나 포드에 의하면 사람은 기계이고, 그렇게 다루어야만 한다고 했으며, 호손은 사회적 요인과 객관적으로 규제되는 작업 환경에 주의를 기울이는 것이 최선의 결과를 가져온다고 주장했다. 포터는 경영 전략 즉 조직에게 있어서 최우선과 차선의 과제를 구분하는 것이 성공에 이르게 한다고 했다.

좀 다른 이론이 폴 허시와 켄 그랜차드에 의해 제기 되었다. 이들은 사람들의 리더십 스타일을 상황에 맞게 적응하는 것이 중요하다고 주장했다. 이런 상황적 리더십 모델은 아래와 같다.

○ 교육 (Instructing) - 일을 시작할 때 종업원들은 강한 리더십이 필요하다. 처음에는 헌신의 수준이 높지만 전문성은 낮다. 종업원들은 명령과 지시를 따른다.

○ 코칭 (Coaching) - 스트레스와 새로운 일을 시작할 때의 희열이 사라지고, 동기와 헌신의 수준이 낮아지며, 종업원들의 전문성은 올라온다. 종업원들은 질문을 받고 스스로 답을 찾게 된다.

○ 지원 (Supporting) - 전문성은 대단한 수준으로 올라온다. 동기 수준은 차이가 있을 수 있다. 어떤 경우는 낮아져 종업원들이 퇴직을 하게 될 수도 있고, 독립성을 부여 받은 결과로 동기 수준이 올라갈 수도 있다.

○ 위임 (Delegating) - 종업원들은 자신의 일을 완전히 통제할 수 있게 된다. 동기 수준은 높고 종업원들은 자신들의 프로젝트를 받고 자신의 팀을 리드하게 된다.

이런 식으로 종업원 들이 성장해서 그들이 스스로 리더의 역할을 할 수 있도록 해 보라.

제4화 롤 플레잉

창의적 사고의 전문가인 보노(Edward de Bono)는 6가지 사고 모자를 1986년 발표했다. 비평가들은 이런 아이디어를 단지 재미있는 생각 정도로 치부했다.

보노의 아이디어는 그룹 멤버들에게 일차원적인 관점 즉, 생각 모자를 제공하는 것이다. 보노의 6개 모자는 팀 빌딩 기술로 커뮤니케이션을 개선하고 토론 주제에 재미있게 때론 진지하게 접근 할 수 있도록 해준다.

방법은 다음과 같다. 아이디어나 전략을 그룹 멤버들 간 이야기를 나눈다. 대화 중에 모든 멤버는 모자의 색깔에 따라 6가지 관점 중 한가지를 선정한다. 각각의 모자 색상에 따른 성격은 다음과 같다.

○ 흰색 - 분석적, 객관적인 사고, 사실과 타당성을 강조함

○ 빨강 - 감정적 사고, 주관적인 감정, 통찰과 의견

○ 검정 - 비판적 사고, 위험 평가, 문제 발견, 회의론, 비평

○ 노랑 - 낙관적 사고, 투기적, 베스트 케이스 시나리오

○ 녹색 - 창의적, 연상적 사고, 새로운 아이디어, 브레인스토밍, 건설적

○ 파랑 - 구조화된 사고, 프로세스, 큰 그림

주의할 점은 미팅 중 팀 멤버들은 반드시 주어진 역할에서 벗어나지 않도록 해야 한다. 동질적인 팀 즉, 동일한 시각과 성격을 가지고 있는 팀의 경우는 효과가 없을 수 있다.

당신이 좋은 아이디어가 있지만 강한 저항을 만날까 두려움이 있다면 토론을 할 수 있도록 해보라. 다른 그룹 멤버들이 자신들의 아이디어를 냈다고 생각하게 될 것이다. 사람들이 자신의 생각이라고 생각할수록, 사람들은 더욱 적극적으로 그 아이디어의 실행을 위해 정열적으로 싸워 줄 것이다. 아무도 자신의 아이디어라고 생각하지 않는다면 처음부터 그 아이디어는 좋은 아이디어가 아닌 것이다.

제5화 프린터가 항상 데드라인 직전에 고장 나는 이유

프로젝트 관리 모델과 방법은 많이 있다. 프로젝트를 수행하는 데는 일정한 시간이 필요하다는 가정에 기반하고 있다. 일반적으로 이 시간 내에서 아이디어가 모아지고(G) 강화되고(C) 컨셉이 선택되어 실행이 된다(I).

실제 생활에서 우리는 시간이 부족하다. 그리고 그 짧은 시간들이 예를 들어 프린터가 사용하기 직전에 고장 나는 것과 같은 예상 못했던 일들로 줄어든다

최적화 모델은 가용한 시간을 동일한 길이의 시간으로 나누어 프로젝트 매니저로 하여금 프로젝트를 3번 완성하게 하는 것이다.

핵심은 각각의 작업 과정에서 완성도를 높이는 것이다. 이 방법은 결과 품질을 높이는 것 뿐만 아니라 최종 결과를

성공적으로 만들어 내는 것이다. 프로젝트 마지막에 단순히 끝났다는 기쁨을 주는 것 대신 전체 팀이 3배의 성취감을 느끼는 것이다.

주의할 점은 이 전략을 수행할 때 엄격해야 한다. 각 단계는 다음 레벨로 넘어가기 전에 적절이 완료가 되어야 한다. 그렇지 않으면 이 모델은 그 다이내믹을 잃게 된다. 전체 발전 과정에서 모아지고, 강화되고, 실행되는 3단계로 분명히 나누는 것이 중요하다.

제6화 회색 코뿔소

회색 코뿔소 라는 말이 있다. 지속적인 경고로 인해 사회가 인지하고 충분히 예상할 수 있지만 가볍게 여기거나 무시해서 발생하는 위기를 뜻한다. 코뿔소는 덩치가 커서 멀리서도 볼 수 있다. 하지만 멀리 있다고 생각하면 무시하게 된다. 가까이 왔을 때 피하면 되니까. 그런데 코뿔소가 달리기 시작하면 땅이 흔들릴 정도다. 코뿔소와 부딪히면 위험하다는 것도 잘 알고 있다. 그래서 이제 피하려고 하지만 코뿔소가 다가오는 속도가 너무 빠르다. 두려워서 아무것도 할 수 없다. 사전에 예상할 수 있고, 사고가 나면 파괴력도 크지만 무시하다가 통제 불능의 위험에 빠질 수 있는 상황을 '회색 코뿔소'라고 한다.

우리가 담당하고 있는 사업의 위기에 대해 오랜 기간 동안, 많은 사람들이 우려하며 다양한 대안과 성장 동력을 마련해 왔다.

우리는 신규사업 기회를 통해서 사업의 위기 상황에 대해 선제적인 조치를 통해 지속적인 사업 경쟁력을 갖출 수 있도록 해야 한다. 경영신은 항상 조직에 위기 의식을 통해 끊임없는 헌신과 노력을 이끌어 내는 게 그 역할인 것 같다.

< 조각 투자 >

부동산이나 음악 저작권, 심지어 송아지에도 여럿이 나눠 투자를 하는 이른바 '조각 투자'가 인기다. 하지만, 지난 2022 년 4 월 금융당국이 이것도 주식과 같은 투자라고 보고, 규제 입장을 밝혔다.

금융당국이 첫 판단 대상으로 삼은 회사는 뮤직카우다. 대중가요의 저작권을 사들인 다음에 여기서 나온 저작료를 받을 권리를 쪼개서 개인들에게 파는 방식이다.

새로운 산업이 확대되면 규제가 뒤따라오는 게 보편적이다. 투자자 보호를 위해 기준을 재정비하고 불확실성을 없애 줄 것으로 기대된다.

Chap 5. New Biz Idea

제1화 편의점 형태의 헬스장

최근 일본에는 편의점 형태의 헬스장 '초코잡(Chocozap)'이 확산되고 있다. 간편함 때문에 일명 '편의점 헬스장(コンビニジム)'으로 불린다. 편의점 같은 형태로 지하철 역 부근이나, 동네 마다 무인 매장으로 운영된다. 간편함은 물론 월 3 만원 정도의 저렴한 이용료로 전국의 체인점 어디든 24 시간 이용할 수 있다. 번거롭게 운동복을 갈아 입지 않아도 되고 출퇴근 길은 물론 출장 중에도 가까운 매장에 빈손으로 들려 20~30 분 운동을 할 수 있어서 직장인들에게는 안성 맞춤이다.

타겟에 맞춘 편의 시설도 사업 모델에 대해 철저하게 고민한 흔적이 역력하다. 회원으로 가입하면 스마트워치와 체조성계(체지방, 내장지방, 골밀도, 근육량 등의 데이터를 제공하는 기기)가 무료로 제공된다. 자신의 몸 상태에 대해 자연스럽게 관심을 갖도록 유도하는 것이다. 가입 및 탈퇴는 스마트폰으로 하고, 트레이닝 기구는 초보자도 사용하기 쉽게 끔 문턱을 낮췄다. 매장에는 여성 고객을 위한 셀프 제모기, 셀프 에스테틱 기기도 비치되어 있다.

< 초코잡 운영사 라이잡 홈페이지 >

하지만, 국내 도입을 통한 신규 사업에는 극복해야 할 장애가 있다. 현재 국내는 법적으로 헬스장에 생활체육지도사(트레이너)가 상주하도록 의무화하고 있다. 현재 우후죽순 처럼 확대되고 있는

수많은 무인 헬스장은 모두 불법으로 간주된다. 인건비를 아끼고 비용을 낮춰 더 많은 회원을 받으려는 목적에 회원들이 안전사고 위험에 무방비로 노출될 수 있는 Risk를 단속한다는 취지다.

< 에듀테크, 실시간 소통 slido.com >

수업에서 실시간 쌍방향 의사소통이 가능한 도구. 프레젠테이션 상황에서 실시간으로 청중들과 소통할 수 있다. 말뭉치 형식의 응답 보기는 물론 실시간으로 다수의 의견과 생각을 알아볼 수 있다. Basic 서비스는 무료로 참가자가 100 명으로 제한되고 세개의 설문을 초과할 수는 없다.

제2화 Senior Care

전국의 경로당은 6 만 7 천개, 대한노인회 회원만 300 만명 이 넘는다. 우리나라는 6.25 전쟁 이후인 1955 년부터 1974 년 사이에 출생한 베이비붐 세대가 현재 700 만명에 달하며, 베이비붐 세대가 속속 65 세 이상 고령으로 접어들며 노인 인구가 급속도로 늘어나고 있다.

대한노인회에서는 전국의 경로당을 대상으로 스마트 경로당 사업을 벌이고 있다. 세대간 디지털 격차를 해소하기 위한 스마트 경로당 사업은 노인들을 위해 경로당 마다 Kiosk 를 설치하고, 은행 ATM 사용하는 방법, 기차표/버스표 구매하는 방법, 음식 주문하는 방법 등을 학습할 수 있게 할 계획이다. 그동안 각 자치 단체별로 제각각 진행되던 스마트 경로당 사업의 업무 표준안이 수립되고, 각 기기가 중앙 서버를 통한 연결을 통해 다양한 시너지를 기대할 수 있게 되었다.

또 다른 노인 문제 중 하나는 현재 우리나라 60세 이상 10명 중 1명, 80세 이상은 4명 중 1명이 치매 판정을 받는다. 통계청에 따르면 지매 환자 한 명 당 내년 약 2 천만원의 비용이 들고, 가족들은 삶의 질이 급속히 저하된다고 한다. 하지만, 누구든 걸릴 수 있는 치매, 전문가들은 예방할 수 있고 늦출 수 있다고 말한다. 무엇보다 중요한 예방은 즐겁고 신나는 하루 하루를 보내시는 것이라고 한다.

S 社에는 267.2mm 큰 화면의 태블릿을 기반으로 부모님의 치매를 예방, 관리하고 건강 정보를 수집하여 분석하고 즐거움을 선사하는 음악, 영상 컨텐츠를 지속 공급하는 시니어 홈 케어 서비스가 있다. 또한, 모식품사에서 정기 배송 서비스를 통해 케어 푸드 식단을 주문할 수 있으니 두가지 상품을 결합하면 효도 상품으로 제격이다. 당뇨 등 질환을 갖고 있는 부모님 뿐만 아니라 챌리지 식단이라고 해서 프로틴 업, 하이 팻, 베지 라이프, 뷰티 핏 등 고객의 필요에 맞는 식단을 제공하는 것도 가능하다. S社 온라인 플랫폼 e식품관에서는 고객이 정한 주기에 맞게 부모님께 선물하기 기능을 통해 정육 상품을 정기적으로

보낼 수도 있다. 명절에만 큰 맘 먹고 선물하는 것이 아니라 부모님 밥상에 1 년 12 달 고기 반찬이 떨어지지 않게 하고 싶은 효자, 효녀 들을 위한 서비스다.

가전 제품의 패밀리 케어 기능을 활용하는 것도 가능하다. 대표적인 기능은 냉장고 사용 빈도를 분석해 혼자 살거나 따로 떨어져 사는 가족의 안부를 확인할 수 있는 서비스다. 1 인 가구 비중이 높아지는 추세를 반영해 가전제품의 돌봄 기능을 강화한 것이다. 냉장고 문이 오랫동안 열리지 않으면 가족의 스마트폰으로 알림이 전송된다. 다만, 2018 년 이후 출시된 냉장고에만 적용된다. 건강이 좋지 않으셔서 자주 안부를 확인하려는 데 귀가 잘 안 들리시니 통화가 잘 안 되는 경우도 많아서, 냉장고 문으로 안부를 알 수 있게 했다. 패밀리 케어 기능은 정수기에서도 볼 수 있다. 사전에 정해 놓은 시간 동안 출수량이 없으면 가족의 스마트폰으로 알림이 전송되는 기능이다.

제3화 EVC 사업 (전기차 충전기)

국내 전기차 보급 대수는 2021 년 21 만대에서 2022 년 45 만대로 확대되었다. 2022 년부터 건축허가를 받은 아파트 등 공용 주택은 주차 면수의 5% 이상 전기차 충전기 설치가 의무화 되었다. 이미 지어진 아파트도 주차 면수의 2% 이상은 전기차 충전기를 설치해야 한다. 이미 현대, 기아자동차 외 LG, SK, 롯데 등 대기업 들이 충전기 사업에 참여하고 있다.

전기차 충전기는 급속과 완속으로 구분된다. 급속은 충전시간이 15~30 분 내외로 휴게소, 공공기관 등 외부 장소에 설치되며 공급 용량은 최소 50Kwh 에서 최근에는 100~200Kwh 제품이 보급되고 있다. 반면, 완속은 충전 시간이 최소 4~5 시간 이상 소요되며 주택, 아파트 등 주거지 위주로 설치되고 공급 용량은 3~7Kwh 다.

전기차 충전기를 설치하기 위해서는 충전기 구매 외에도 한전 불입금, 공사비 등이 필요하다. 충전기 구매는 일시불/할부 방식

외에 렌탈 방식도 가능하다. 한전 불입금은 전기 공급 설비를 보강, 이용, 철거에 따른 고객 부담금으로 7Kwh 기준 486 천원(2022 년 8 월 기준), 14Kwh 1,240 천원, 100kwh 10,511 천원이 소요된다. 공사비는 인근 전봇대와의 거리 등 상황에 따라 상이하다. 대략 50Kwh 미만이 60 만원, 50Kwh 7 백만원, 100Kwh 9 백만원 정도 소요된다. 국내 각 업체별 전기차 충전기 사업 현황은 아래와 같다.

구분	내용
S社	○ 2018년 에스원이 환경부의 충전기 보급 사업에 참여했지만, 사업성 等 이유로 이후 사업 조직 해체
LG 전자	○ 2024년 상반기 중으로 미국 시장에 11㎾급 완속 175㎾급 급속충전기를 출시할 계획
SK	○ 국내 초고속 충전기 제조사인 ㈜ 시그넷EV의 지분 55.5%를 2,930억원에 인수(2021년 8월)
롯데 정보 통신	○ 2022년 1월 전기차 충전기 업체인 중앙제어 인수 ○ 중앙제어는 초급속, 급속, 완속 모두 자체 제조

신규 사업 가능성은 B2C 의 경우 개인 주택에 거주하는 전기차 보유 고객, B2B 는 공공주택 전기차 충전기 설치 의무화에 따른 설치 필요 시설 및 숙박업, 카페, 식당, 공장, 공용 주택 等 對고객 서비스 차원에서 자체 주차장 내 충전기를 제공하고자 하는 사업자와 유료 주차장 사업자 등을 Target 으로 할 수 있다.

상황별로 주 사용 고객의 자가/공용 여부에 따라 초기 비용과 충전 단가 최소화에 대한 관심이 서로 다르다. 예를 들어 자가 사용을 계획 중인 고객은 충전 단가에 대한 관심이 높은 반면, 공용 설치를 계획하는 사업자는 초기 투자 비용에 대한 관심이 더 높다. 따라서, 사업 모델은 한전 불입금과 공사비를 해결해 주는 조건으로 충전 단가를 상대적으로 높게 해서 수익을 확보하는 방안과, 초기 비용을 고객이 부담하는 경우 충전 단가를 상대적으로 낮게 책정해서 초기 수익을 극대화하는 방안이 가능하다.

전기차 충전기 사업 모델은 충전기를 판매하는 사업자가 전국의 설치 업체와 제휴를 통해 공사를 대행하고 한전의 충전 사업자자격으로 별도 전기료를 과금 하는 방식이다. 개인 주택의 경우는 가정에서 쓰는 전기와 분리하여 별도 계량기를 설치하고 별도로 전기료를 부과한다.

< 상권분석 시스템 >

소상공인 예비 창업자들을 위한 무료 상권분석 정보를 제공하는 3가지 사이트다.

○ 소상공인시장진흥공단 : 전국단위 상권에 대한 구체적인 정보 제공, 간단 분석은 로그인 없이 이용이 가능하고, 상세 분석은 회원가입을 해야 이용 가능

○ KT 잘나가게 : 통신사 위치정보 기반 유동인구와 잠재 영업범위 등에 대한 차별화된 분석 제공

○ 서울시 우리마을가게 : 서울시 지역별, 업종별 매출과 개폐업 추세, 유동인구 등 비교 정보 제공

-네이버 블로그-

제4화 Subscription Biz (구독 경세)

구독 경제란 소비자가 정해진 기간 동안 구독료를 지불하고, 필요한 제품이나 서비스를 주기적으로 제공받는 신개념 경제 활동을 의미한다. 업계에서는 구독경제의 유형을 아래와 같이 크게 3 가지로 구분한다.

○ 멤버십형 : 월 단위 요금을 지불하고 매월 이용하는 형태로 서비스형과 디지털 콘텐츠형이 있다. 서비스형은 주로 무료배송, 당일배송, 이커머스 유료 멤버십 등의 형태로 제공된다. 디지털 콘텐츠형은 동영상 및 음원 스트리밍 구독권 형태를 들 수 있다.

○ 렌탈형 : 월 구독료를 지불하고 계약기간 동안 상품을 대여 후 반납하는 형태이다. 정수기, 자동차, 가구와 같은 내구재의 경우 계약 기간이 완료되면 소유권을 소비자에게 넘겨 주는 방식으로 운영된다.

○ 정기배송형 : 정해진 일정에 따라 정기적으로 상품을 배송하는 형태이다. 생필품이나 소비자 기호에 따른 품목들을 정기배송하는 형태이다.

구독 경제는 새로운 플랫폼은 아니다. 이전의 신문 구독이나 우유 배달과 같은 오프라인 형태의 정기 구독 형태에서 디지털로 플랫폼이 확장됨에 따라 전 산업을 통해 온·오프라인 유통 전역으로 확산되고 있다. 과거 신문이나 우유 배달로 시작된 구독 서비스는 동영상과 음악 등 콘텐츠 영역까지 확장되었다고 할 수 있다. 2000 년대 초반 정수기 같은 생활 필수품 렌탈이 시작되었고, 이어서 비데, 공기청정기 같은 제품이 정기적인 방문 서비스 결합 형태로 판매되고 있다. 이후에는 안마의자 같은 헬스케어 제품이 렌탈로 대중화되기 시작했다. 이후 렌탈의 패러다임은 3 세대인 라이프스타일 케어로 변화하며 모든 렌탈 회사들이 Sleep Care 에 착안해 매트리스 렌탈 시장에 참여 하고 있다. 우리는 새로운 소비 변화에 주목해야 한다. 4 세대 렌탈 상품으로 주목할 만한 것이 그림과 같은 예술 작품이 될 것으로 기대된다.

COVID-19 로 집에서 보내는 시간이 많아지고, 인테리어에 대한 관심이 크게 높아지며, 국내 미술품 시장도 큰 폭으로 성장했다.

소위 '백색가전'으로 불리던 대형 생활가전 제품도 컬러와 디자인에 인테리어 요소가 반영된 제품이 인기다. 많은 비용이 소요되는 것으로 인식되던 그림을 부담 없는 수준에서 집의 가치를 높이는 인테리어 아이템으로 활용하게 된 것이다.

국내 대표적인 그림 렌탈 서비스 업체는 '오픈갤러리'와 '갤러리 K'를 들 수 있다. 국내 작가의 원본 작품을 일정 기간 대여해주는 '렌탈 상품' 판매를 하고 있다.

오픈갤러리 는 지난 2013 년 처음 서비스를 시작한 이래 매년 70% 이상 이용자를 늘려가고 있다. 국내외 미술대학 출신 전업 작가 1,500 여명의 원본 작품 4 만여점을 보유하고 있다. 오픈갤러리 상품은 '그림구독'과 '원화구매' 두 가지다. 그림구독은 3 개월마다 미술품을 교체해 주는 서비스다. 해당 상품을 구매하면 작품 선택부터 운송, 설치, 교체 과정 전부를 전문

큐레이터와 설치팀이 전담한다. 원화구매는 작가의 원본 작품을 살 수 있는 서비스다.

갤러리 K 는 2019 년 출범해 국내 중견 작가의 작품을 다수 보유하고 있다. 현재 1 만건 이상의 그림 렌탈 계약을 보유하고 있다. 신진 작가의 작품이 아닌, 수십 년 경력의 검증된 작가의 실제 작품을 이용할 수 있는 것이 특징이다. 월 이용료는 작품 가격의 1% 수준이다. 상담을 신청하면 갤러리 K 소속의 그림 구매상담 전문가 '아트딜러'로부터 설치 위치, 크기, 테마와 색상 등 선호 스타일 등에 맞춰 전문적인 안내를 받을 수 있다. 렌탈한 작품은 6 개월마다 한 번씩 추가 비용 없이 다른 작품으로 교체도 가능하다. 2 점 이상 렌탈을 하면 작품을 추가할 때마다 한 점당 월 렌탈료를 1 만원씩 할인해 준다. 또 렌탈로 이용하던 작품을 구매하는 경우에는 구입금액에서 그 동안 지불한 렌탈료만큼 할인을 받을 수 있다. 렌탈 기간 중 작품 가격이 상승했더라도 최초 렌탈 시점의 가격으로 구입이 가능하다.

갤러리 K 는 인수형 장기렌탈 상품을 도입해 계약기간을 10 년으로 하고 5 년 경과 시점에 인수/계약종료/일시납을 선택할 수 있게 했다. 기업 고객에 집중해 그림 렌탈을 통한 절세 효과를 적극 홍보하고 있다. 그림 렌탈 업계 두 라이벌간 선의의 경쟁이 그림 시장에 새로운 활력소가 되기를 기대한다.

기존 렌탈 서비스가 또 다른 비즈니스 모델로 진화한 것이 Pay-per-Use 서비스다. 과거 생산자는 자기가 생산해낸 실물 상품에 의거해 제품 가격을 결정했다. 그러나 오늘날 새로운 가격책정방식이 나타났다. 그 중 사용권 판매는 보다 유연한 모델이 될 수 있다. 이는 제조업체가 소유권을 유지하면서 동시에 사용량 혹은 결과물에 기반한 요금 정책(pay per use/pay per outcome) 및 유료 구독과 같은 '서비스 제공'(as a service) 방식을 통해 다양한 상품을 제공하는 것이다.

우선 SaaS(Software as a Service)는 이미 만들어진 소프트웨어이기 때문에 사용자 입장에서는 초기 개발 투자비용이 따로 들지 않고, 유지보수 비용절감, 빠른 이용 등 초기 비용

문제에서 이점이 확실하다. 소프트웨어 초기 개발시 비용 뿐만 아니라 시간적인 문제가 당연하게 소비되기 때문에 합리적인 측면에서 이익을 얻을 수 있다.

사용한 만큼만 비용이 지불되는 서비스기 때문에 비용이 부담되지 않는다. 그리고 다른 기기에서 접속을 하여도 비용이 발생하지 않으므로 이용에 걱정을 할 필요가 없다. 별도의 설치 없이 사용할 수 있고 인터넷만 연결돼 있으면 어디서든지 접근할 수 있다.

SAAS 에 이어 각광받기 시작하는 것이 MaaS(machine as a Service)다. 사무실에서 복합기를 사용량에 따라 이용료를 부과하는 것처럼 필립스는 공항에 전등을 무상으로 설치하고 사용료를 받는 Lighting as a Service 를 사업화 했고, 중국에서는 청소기를 무상으로 제공하고 사용한 시간에 따라 과금하는 방식을 테스트하고 있다. 국내 한 보험회사에서는 자동차 보험을 운행 거리에 따라 보험료를 차등하는 방식의 상품을 출시하고 "per mile" 을 강조하는 광고를 하고 있다.

다음은 식기세척기, 에어컨, 의류관리기 같은 제품들을 as a service 로 판매하는 사업이 성업할 것으로 보인다. 단순히 전자 제품만 무상으로 제공하는 것이 아니라, 세제와 같은 필수 소모품과 함께 정기적인 성능 점검 및 세척 서비스가 결합하면 가전이 내구재라고 분류되던 기준도 바뀌어야 할 것으로 보인다.

< 골프웨어 렌탈 업계 더 성장할 수 있을까 >[4]

국내 골프 활동 인구가 1,000 만명을 넘어서는 등, 남녀노소 누구나 즐기는 대중 스포츠로 자리잡는 가운데 골프의 인기가 높아지면서, 골프라는 취미 트렌드를 활용한 대표적인 사례가 골프존 이라면 MZ 세대가 대대적으로 유입되면서 크게 성장한 업계가 바로 골프웨어 렌탈 업체들이라고 할 수 있다.

구매하기 부담스러우면 빌리면 된다'는 개념은 거의 모든 업계에 찾아볼 수 있으며, 골프계에도 클럽 렌탈 서비스 등이 있었다. 하지만 골프웨어 렌탈 서비스는 비교적 최근에 등장했다. 2021년 포썸골프가 여성 골프웨어 렌탈을 국내 최초로 시작하고, 이를 이유로 '2021 년 혁신 한국인 대상'을 수상한 일이 있으니, 사실상 골프웨어 렌탈이라는 개념이 널리 퍼진 건 2021 년부터라고 할 수 있다. 아직 유행한 지 2 년도 되지 않은 신생 업계인 셈이다.

---

[4] 출처 : Golf journal, 김상현 2023.02.03

골프웨어 렌탈 서비스의 현주소

비록 역사는 짧지만, 골프웨어 렌탈 서비스는 골프계 안팎에서 크게 주목받고 있다. 특히 점점 늘어나고 있는 MZ 세대 골퍼들은 렌탈이라는 개념에 익숙하며, 나아가 이를 선호한다. 유행에 따라 빠르게 바꿔 입어야 할 골프웨어를 굳이 구매하여 영구히 소장하기보다는, 일시적이지만 저렴한 가격으로 빌릴 수 있고, 다양한 서비스까지 제공되는 렌탈 서비스를 이용하는 골퍼가 늘어나는 추세다.

엠브레인에서 1 년 이내 골프 필드 경험자 3,000 명을 대상으로 조사 후 발표한 '2022 골프 산업 기획 조사'에서도 이러한 기조가 엿보인다. 골프장 방문 횟수, 골프장 만족도, 개선 요소, 선호 브랜드 등 다양한 설문이 제시된 본 조사에서 '골프웨어 렌탈 경험'에 대한 설문도 진행되었다.

그 결과 골프웨어 렌탈을 경험해본 인원은 전체 응답자 3 천 명 중 216 명(7.2%)으로 집계되었다. 10%도 안 되는 수치이니 아직 골퍼 사이에서 골프웨어 렌탈 서비스를 이용해본 경험은 많지 않다고 볼 수도 있다. 하지만 향후 골프웨어 렌탈 이용 의향을 묻는 질문에서는 27.4%를 기록하여, 경험해 보았다는 응답자의 3 배 이상에 달했다. '잠재 고객'은 적지 않은 셈이다. 또한, 골프웨어 렌탈 경험을 가장 많이 한 연령대는 20 대 남성으로 이용률이 29.8%로 조사되기도 했다.

냉정히 말해 아직 골프계에서 골프웨어 렌탈의 영향력이 대단히 크다고는 할 수 없다. 하지만 무시할 수는 없으며, 앞으로 영향력이 커질 가능성도 높다. 젊은 MZ 세대 골퍼는 그저 필드에서 골프를 치는 데 만족하지 않고, 유행하는 골프웨어를 입고 뽐내는 건 물론, SNS 를 통해 인증샷을 남기고 보다 많은 사람과 소통하는 데도 적극적이다. 하지만 모든 MZ 세대 골퍼가 시즌마다 유행하는 골프웨어를 모조리 구매할 수는 없다. 소장이 아닌 대여지만, 더 저렴한 가격으로 다양한 골프웨어를 경험할 수 있는 골프웨어 렌탈 서비스가 등장하고, 또 빠르게 성장한 이유다.

그저 옷을 빌려주는 수준에서 한발 더 나아가, 다양한 서비스가 제공되는 점도 골프웨어 렌탈 서비스가 인기를 끄는 이유 중 하나다. 일종의 '정액제' 개념인 '프리미엄 회원권' 서비스, 방문 배송 및 수거, 전문 세탁, 빠른 업데이트 등 다양한 서비스를 제공하고 서비스 품질을 높여나감으로써 더욱 대세를 타고 있다.

골프웨어 렌탈 시장의 변화

이처럼 '핫'한 골프웨어 렌탈 시장에서 최근 '지각변동'이 일어났다. 업계 1 위인 골프웨어 렌탈 플랫폼 더페어골프가, 업계 2 위로 꼽히던 포썸골프를 사실상 인수한 것이다.

2022 년 12 월 7 일 더페어골프는 포썸골프의 의류 전량에 대한 인수 계약을 맺었고, 이는 사실상 더페어골프가 포썸골프를 인수한 것으로 받아들여지고 있다. 박경두 더페어골프 대표도 이번 인수에 대해, "더페어골프는 코로나로 인한 단기적인 신규 골퍼 유입을 타깃으로 전개하는 서비스가 아니라 기존 골프 시장의 문제점과 골프의 대중화를 위해 만든 서비스다. 포썸골프 의류를 인수해 기존 렌탈 서비스 영역을 강화하는 것은 물론

골퍼들이 느끼는 불편함을 하나둘씩 개선해 가면서 골프 토탈 플랫폼으로 거듭날 수 있도록 노력하겠다"고 밝혔다. 총 3 만 5,000 명의 회원을 보유하여 업계 1 위로 꼽히던 더페어골프와 약 1 만 2,000 명 회원을 보유하여 업계 2 위를 달리던 포썸골프가 합쳐지면 총 회원 숫자만 4 만 7,000 명에 달하는 대형 플랫폼이 탄생한다. 골프웨어 렌탈 업계에 '절대 강자'가 등장하는 것이다.

실제로 더페어골프의 상승세는 눈부시다. 2021 년 3 월 서비스를 론칭한 후 골프웨어 렌탈 업계의 1 인자가 되었고, 중고 골프웨어 위탁판매나 골프용품 판매 등에도 나서며 사업 영역을 확장하고 있다. 이에 힘입어 올해 1 월부터 11 월까지의 매출액이 지난해 같은 기간에 비해 400% 이상 성장하기도 했다. 이런 가운데 업계 2 위를 인수하며 골프웨어 업계의 절대 강자로 발돋움하는 건 물론, '골프 토탈 플랫폼'을 추구한다는 박경두 대표의 말처럼 사업 영역의 확장에도 박차를 가할 것으로 보인다.

앞으로의 전망

업계의 절대 강자가 될 것으로 보이는 더페어골프, 나아가 골프웨어 렌탈 업계는 탄탄대로를 달릴 수 있을까? 전망이 마냥 낙관적이지는 않다. 특히 젊은 MZ 세대가 이러한 불확실성에 고스란히 노출될 가능성이 크다는 경고도 적지 않다. MZ 세대의 의존도가 높은 골프웨어 렌탈 업계도 철저히 대비해야 할 것으로 보인다.

골프웨어 렌탈 업계는 이전에는 찾아보기 어려운 비즈니스 모델이었지만, 그럼에도 성공적으로 골프계에 안착했다. 그런 가운데 찾아온 업계의 대대적인 지각변동, 그리고 불확실성이 이 신생 업계에 어떤 영향을 미칠지 주목된다.

제5화 플랫폼 비즈니스

일반적으로 비즈니스 모델이란 제품 혹은 서비스를 소비자에게 어떻게 제공할 것이며, 마케팅 할 것인가를 결정하는 것을 말한다. 총체적으로는 가치 창출의 아이디어들을 수익구조까지 그려 나가는 '사업계획'으로 정의하기도 한다. 특히, 인터넷 기업들이 본인들의 '사업 아이디어'를 특허로 출원하기 시작하면서 "비즈니스 모델"이란 용어로 알려졌는데, 이로 인하여 개념은 확산되었지만 형태가 너무나도 다양하기에 용어의 정의 확립이 모호한 실정이다.

비즈니스 모델에는 기업의 고객들, 협력사들과 공급사들 간의 역할 및 관계, 제품과 정보와 자금의 주요 흐름, 그리고 참여자들에게 제공되는 주요 효익의 내용이 담겨야 함을 알 수 있다. 인터넷을 기반으로 한 가장 대표적 비즈니스 모델인 플랫폼 비즈니스에 대해 살펴 보면, 플랫폼 비즈니스는 여러 그룹의 요구를 중개하고 그룹 상호간의 작용을 촉진하며, 그 시상의 경제권을 만드는 비즈니스 모델로 정의된다. 특히 플랫폼 비즈니스의 가장 중요한 부분은 단방향 플랫폼이 아니라 하나의 플랫폼에 여러 구매자, 판매자 등의 다양한 이익 관계가 구성되고 공존하고 있는 양방향 시장인 것이다. 즉, 플랫폼 사업은 상호 필요로 하는 둘 이상 다수의 고객집단들을 플랫폼을 통하여 연결·조정하는 사업을 말한다. 전통산업에서의 다면적 플랫폼 사업의 대표적 형태는 남녀를 연결해주는 중매 서비스, 신용카드의 가입자와 가맹점을 연결해주는 신용카드 결제서비스 등을 들 수 있다.

플랫폼 비즈니스 모델들은 타 비즈니스 모델과는 다른 몇 가지 특징을 보이고 있다. 기본적인 특징으로 충분한 구매자, 판매자를 확보해야 한다. 플랫폼은 규모의 경제를 실현하기 좋은 창구이며, 통상 비즈니스는 규모의 경제를 가질 때 수익성을 확보한다. 또한, 고객들에게는 해당 플랫폼만의 차별적인 가치가 창출되어 제공된다. 다음 요소와 특징은 비즈니스를 수행하는 플랫폼이 내포하고 있어야 하는 특징과 요소이다. ①플랫폼의 설계, 운영, 업그레이드는 플랫폼 주 기업이 담당하게 된다. ②해당 플랫폼의 모방이 어려운 차별화 기반 기술을 가지고 있어야 한다. ③플랫폼 주도 기업과 참여자, 또는 참여자 간 공동의 이익이 존재해야 한다. 참여자들에 동기부여가 되기 위해서는 확실한 인센티브가 있어야 한다. ④비즈니스 플랫폼은 참여자의 기반 확대와 업그레이드, 인접 분야 확장 등으로 지속적인 확장성을 가지고 있어야 하며, 진화가 지속되어야 한다.

기술의 발달로 더 이상은 단순히 사고 팔고의 범위만이 상거래가 아니다. 이제는 오프라인 시장에서 거래되는 모든 제품들도 온라인 시장을 거치지 않고는 수익을 낼 수가 없다. 온라인 기반의 플랫폼이 비즈니스의 조건을 갖추게 되면 양면, 혹은 다면 시장 구축을 통해 급격한 사용자의 증가를 불러오게 되고, 이와 같은 상황이 지속되어 사용자의 수가 특정 임계치를 넘게 되면 폭발적인 성장을 일어나게 만들어 수익을 발생시키고, 이때 비로소 비즈니스 모델로서 성립하게 된다.

제6화 NFT (Non-Fungible Token)

[5]NFT 는 '대체 불가능한 토큰'이라는 뜻으로, 블록체인의 토큰을 다른 토큰으로 대체하는 것이 불가능한 가상 자산을 말한다. 이는 자산 소유권을 명확히 함으로써 게임·예술품·부동산 등의 기존 자산을 디지털화 하는 수단이다.

NFT 는 가상 자산에 희소성과 유일성이란 가치를 부여할 수 있기 때문에 최근 디지털 예술품, 온라인 스포츠, 게임 아이템 거래 분야 등을 중심으로 그 영향력이 급격히 높아지고 있다.

NFT 는 블록체인을 기반으로 하고 있어 소유권과 판매 이력 등의 관련 정보가 모두 블록체인에 저장되며, 따라서 최초 발행자를 언제든 확인할 수 있어 위조 등이 불가능하다. 또 기존

---

5 네이버 지식백과, 지식엔진연구소, 2022

암호화폐 등의 가상자산이 발행처에 따라 균등한 조건을 가지고 있는 반면 NFT 는 별도의 고유한 인식 값을 담고 있어 서로 교환할 수 없다는 특징을 갖고 있다. 예컨대 비트코인 1 개당 가격은 동일하지만 NFT 가 적용될 경우 하나의 코인은 다른 코인과 대체 불가능한 별도의 인식 값을 갖게 된다.

S 社의 경우, 스마트 TV 內 NFT 플랫폼을 넷플릭스 처럼 NFT 사업자 입점 방식으로 진행할 계획이다. S 社가 주관하는 별도의 보관, 거래 기능 없이 Global NFT 사업자와 협력 방식으로 추진한다. 다만, 국내는 게임을 통해 획득한 게임 머니, 아이템 환전 또는 환전 알선 행위 금지 等 관련 규제 이슈가 있어서 도입 일정은 미정이다. 또한, Galaxy 內 월렛을 활용해 NFT 입출금과 보관 서비스를 제공한다는 발표도 있었다.

NFT 를 P2P 거래에 활용해 가전 중고 거래에 접목할 수도 있다. 고객의 가전 제품 사용 시간, 수리 이력 등을 NFT 보증서 형태로 제공해 중고 가전의 사용 시간, 수리 이력 등 품질 관련 정보를 신뢰할 수 있게 해 공정한 중고 거래를 보장하는 것이다.

제7화 반려로봇

[6] 미국 로봇 기업인 톰봇(Tombot)이 개발한 강아지 로봇 '제니(Jennie)'는 톰봇 창업자인 톰 스티븐슨 최고경영자(CEO)가 알츠하이머병 진단을 받은 어머니가 반려견을 더 이상 돌볼 수 없게 되자 반려견 로봇을 만들게 됐다고 한다. 치매 등을 앓아 실제 반려견을 키우기 힘든 노인 환자들의 정서적 안정과 치유를 위해 탄생한 로봇이 바로 '제니'다.

골든 리트리버를 닮은 제니는 사람의 쓰다듬는 손길을 느끼면 꼬리를 살랑살랑 흔든다. 음성 인식으로 반응하면서 '멍멍' 짖기도 한다. 강아지 짖는 소리도 종류별로 탑재됐다. 목소리를 인식하는 기능으로 사람의 목소리를 판별해 반응하고 진짜

---

6 AI 타임스, 윤영주, 2022.5.22

강아지처럼 움직이고 행동한다. 외롭고 불안한 환자들에겐 제니의 부드러운 털을 만지면서 제니가 기분 좋게 꼬리를 흔드는 모습만으로도 위로가 될 수 있다.

<톰봇의 반려로봇 제니[7] >

흔히 반려동물하면 강아지나 고양이를 떠올린다. 하지만 반려견 로봇과 반려묘 로봇 말고도 AI 반려로봇의 모습은 각양각색이다. 공과 같은 물체 형태부터 부드러운 털 뭉치 같은 형태까지 다양하다. 최근 지자체에서 보급하는 AI 반려로봇의 경우 눈·코·입이 달린 인형 형태가 많다. 주로 독거 노인들 가정에 입양된 로봇들은 열 아들 부럽지 않게 어르신들 곁을 지키며

---

7 유튜브 영상 갈무리

때로는 다정한 친구처럼 대화를 나누고 든든한 가족처럼 살뜰히 챙기고 있다. 지난 CES 2020 에서 S 社가 소개한 AI 애완로봇 '볼리(Ballie)'는 작은 공 모양이다. 주인이 부르면 달려오고 뒤를 졸졸 따라다닌다. 연동된 사물인터넷(IoT) 기기를 제어할 수도 있다.

< 선물을 정하는 방법 >

선물 하는 것은 마치 지뢰밭과 같다. 싸구려나 정성이 담기지 않은 선물은 선물 받는 사람이 과소 평가되었다고 생각하거나 선물을 주고 받는 사람간 민망한 상황을 초래한다.

Esquire 라는 잡지에 보면 Esquire Gift 모델이라고 할 만큼 그럴듯한 2 개의 축을 활용해 선물을 추천하고 있다.

○ 선물을 받는 사람과 얼마나 오래 알고 있었나?

○ 선물에 얼마나 지출할 것인가?

선물은 본인이 받았을 때 기쁠 것으로 준비하라. 관대함이 항상 인색함을 이기게 하라. 사람들은 항상 최고에 만족하는 아주 단순한 취향을 가지고 있다.

Chap 6. ChatGPT를 활용한 New Biz Planning

제1화 ChatGPT 활용 방법

많은 사람들이 ChatGPT 서비스를 이용하며 Wow를 느끼고 있다. ChatGPT는 수준 높은 인공지능 AI로써 다양한 곳에서 활용이 가능해 사용처가 무궁무진하다. 하지만, 막상 ChatGPT를 통해 문서를 작성해달라 요청하면 실망스러운 경우가 많다. 글을 잘 쓰기는 하는데 내가 원하는 글하곤 동떨어진 느낌이다.

ChatGPT를 활용해 글을 잘 쓰는 방법은 이렇게 무턱대고 해당 주제의 글을 써달라고 요청해선 안 된다. ChatGPT는 엄연히 인공지능 AI 툴인 만큼 ChatGPT로 글을 작성하기에 앞서 사전 학습을 시키는 게 필요하다. ChatGPT를 활용해 국내 홈트레이닝 시장에 진입을 위한 S社의 신규사업기획 수립 상황을 상정하고 ChatGPT를 활용한 사업계획서를 작성해 보자.

"나는 S社의 신규사업기획 담당자인데 한국의 홈트레이닝 사업

계획서를 작성해줘. 서론은 국내 시장의 홈트레이닝 사업 타당성 본론은 경쟁사로서 A社 홈트레이닝 비즈니스 사례에 대해서 작성하고, 결론은 S社의 홈 피트니스 사업 계획을 작성해 줘" 하는 식이다.

ChatGPT를 이용한 글쓰기에는 우리의 글이 얼마나 독창적이고 윤리적인지를 확인하는 과정이 꼭 필요하다. ChatGPT로 생성된 내용에 기존 텍스트의 출처가 명확히 표기되었는지도 확인이 필요하다. 모든 인용문은 출처와 함께 제공되어야 한다. 또한, 재구성 및 해석이 필요하다. ChatGPT의 응답을 나만의 언어로 재구성하고 해석하는 과정이 핵심이다. 이는 단순히 정보를 전달하는 것이 아니라 개인적인 관점과 분석을 추가하는 과정을 통해 본인의 저술이 되는 것이다.

마지막으로 콘텐츠 검증이 필요하다. 생성된 콘텐츠를 신뢰할 수 있는지, AI가 제공하는 정보가 정확한지 항상 검토해야 한다.

제2화 ChatGPT 를 활용한 New Biz Planning

1) 국내 시장의 홈트레이닝 사업 타당성

홈트레이닝이 본격적으로 주목받기 시작한 계기는 COVID-19 팬데믹이다. 코로나가 확산하면서 외출이 어려워지자 집에서도 즐길 수 있는 홈트레이닝이 대체 콘텐츠로 인기를 얻었다. 특히 코로나로 인해 건강에 관심이 많아지기 시작한 점도 이같은 헬스케어 콘텐츠를 소비하는 또 다른 요인으로 작용했다.

국내 홈트레이닝 시장은 상당한 경쟁과 성장을 경험하고 있다. COVID-19 팬데믹은 체육관 및 야외활동 제한으로 인해 집에서 운동하는 사람들이 증가함에 따라 홈 피트니스 및 트레이닝 솔루션에 대한 수요를 가속화하는 역할을 했다.

COVID-19 팬데믹 상황 속에서 수요가 급증했던 홈트레이닝 분야가 기업들의 새 먹거리로 주목받고 있다. 엔데믹과 함께 줄어들 것으로 보였던 시장 수요가 오히려 계속해서 늘어날 것으로 전망된다.

현대인들은 자동차나 지하철을 이용한 통학 및 출퇴근으로 인하여 바쁜 일상에 피로는 쌓여가고 운동할 시간은 없다. 상대적으로 운동량이 적어지는 반면 많이 먹는 생활을 계속해 가며, 개인의 건강유지를 위해 스스로 적극적으로 운동하는 시간을 필요로 하게 된다. 특히 고령화 시대에 접어들면서 건강관리에 대한 욕구가 증가하면서 피트니스에 대한 관심이 높아지고 있다. 인구는 고령화 시대로 접어들고 보다 양질의 건강관리 서비스를 원하는 목소리가 높아지고 있다. 통계청에 따르면 2030 년 국내 전체 인구(5,216 만 명) 중 65 세 이상의 노인 인구 비중은 24.3%(1,269 만 명)로 예상하고 있다. 이 같은 고령화는 상시적이고 효율적인 건강관리 서비스에 대한 수요와 공급의 증가로 이어지면서 헬스 시장의 성장을 이끄는 촉매제가 되고 있다.

COVID-19 팬데믹 이후 사회, 경제, 문화 전 분야의 많은 시장 환경이 변화했다. 코로나 이전을 B/C, 코로나 이후를 A/C 로 구분하기도 한다. 빠른 변화 대응이 기업의 핵심 역량이 되고 있다. 조직 차원에서도 업무 방식과 의사 결정의 유연성을 갖추는 것이 중요해지고, 일하는 방식에서 돈을 쓰는 방식까지 생활의 전반이 변화 했다. 디지털 시대에 들어서면서 생산 방법의 기계화, 교통 기술의 발달 등으로 생활 수단이 편리해 지면서 사람들의 운동부족 현상이 일어나고 있다. 적절한 운동으로 필요한 만큼의 체력 수준을 유지하는 것이 필요하다. 디지털시대에 컴퓨터화 및 자동화에 의한 직장과 가정에서 신체 활동에 의한 노동력을 격감시키고 있고 현대인들의 생활은 각종 편의장치에 의존하고 있다. 이로 인해 바쁜 현대인의 운동량은 과거에 비해 절대적으로 부족한 상태이다. 따라서 현대인들의 운동 부족 문제를 해소하기 쉽고 간단하며 개인 PT 를 받지 않아도 체계적이고 효과적인 운동법들을 학습함과 동시에, 운동지식이 부족한 일반인들도 쉽게 운동할 수 있도록 하는 홈트레이닝 서비스에 대한 고객 니즈 충족을 위한 사업 타당성은 충분하다고 판단된다.

2) A 社 Fitness+ 사례

A 社 Fitness+는 A 社 Inc.에서 제공하는 구독 기반 피트니스 서비스다. 2020 년 12 월에 공식적으로 시작되었으며 A 社 Watch, iPhone, iPad 및 A 社 TV 를 포함한 A 社의 기기 생태계와 원활하게 작동하도록 설계되었다. A 社 Fitness+는 사용자에게 개인의 신체 건강과 전반적인 건강을 향상시키는 것을 목표로 다양한 가이드 운동 수업을 제공한다.

A 社 Fitness+는 고강도 인터벌 트레이닝(HIIT, high-intensity interval training), 근력, 요가, 댄스, 코어, 사이클링, 러닝머신, 마인드 쿨다운 등 다양한 운동 유형을 제공한다. 플랫폼은 사용자의 참여를 유지하기 위해 지속적으로 새로운 운동을 추가한다.

A 社 Fitness+는 고품질 비디오 컨텐츠로 운동은 경험이 풍부하고 자격을 갖춘 트레이너들이 주도하며, 전문적으로

제작된 비디오 컨텐츠로 트레이너들이 명확한 지시와 동기를 제공하는 것이 특징이다.

A 社 Fitness+의 또 다른 특징 중 하나는 A 社 Watch 와의 통합이다. 운동 중에는 심박수, 칼로리 소모량 등의 A 社 Watch 측정 항목이 실시간으로 화면에 표시된다. 이는 사용자의 성과와 진행 상황에 대한 귀중한 데이터를 제공한다. 또한, Watch 의 데이터를 사용하여 피트니스 수준과 목표에 적합한 운동을 추천하기도 한다. 사용자는 운동 종류, 트레이너, 음악 장르, 운동 길이 등의 기준에 따라 필터링 할 수 있어서 고도로 맞춤화된 피트니스 경험이 가능하다. A 社 Fitness+는 다양한 사용자가 접근할 수 있도록 설계되었으며 수화 통역, 장애인 오디오 설명 등의 기능도 포함되어 있다.

A 社 Fitness+ 구독을 사용하면 추가 비용 없이 각자의 A 社 Watch 를 사용하여 최대 5 명의 가족과 공유할 수 있다. A 社는 사용자의 개인정보 보호를 강조하며 운동 데이터를 제 3 자와

공유하지 않는다. 또한 개인정보 보호를 위해 오프라인에서 워크아웃을 다운로드 받을 수 있다.

A 社 Fitness+는 A 社 ID를 통해 청구되는 월간 구독 서비스로 이용할 수 있다. 사용자는 언제든지 구독을 취소하거나 변경할 수 있다. A 社 Fitness+의 가장 큰 특징은 iPhone, iPad, A 社 TV를 포함한 A 社 장치에서 사용할 수 있으며 호환되는 스마트 TV로 스트리밍할 수 있다. 이 장치 간 호환성을 통해 사용자는 다양한 장치에서 운동에 액세스할 수 있다. 특히, 애플 뮤직의 세심하게 큐레이션 된 플레이리스트들이 운동에 수반되어 전체적인 경험을 향상시킨다.

A 社 Fitness+는 A 社의 광범위한 건강 및 피트니스 생태계의 일부이며, 사용자가 A 社 기기를 최대한 활용하면서 피트니스 목표를 달성할 수 있도록 지원한다.

3) S 社 홈트레이닝 사업 계획

A 社 Fitness+와 같이 잘 구축된 서비스와 경쟁하려면 S 社의 강점을 활용하고 목표 고객의 특정 요구와 선호를 충족시키는

전략적 접근이 필요하다. 다음은 S 社가 A 社 Fitness+와 효과적으로 경쟁하기 위해 고려할 수 있는 몇 가지 전략들이다.

○ Galaxy Ecosystem 활용: 스마트폰, 스마트워치(갤럭시 워치 시리즈 등), 태블릿, 스마트 TV 등 갤럭시 생태계를 활용해 매끄럽고 통합적인 피트니스 경험을 만들어야 한다. 여기에는 모든 갤럭시 기기와 호환되고 사용자가 기기 전반에 걸쳐 일관되고 편리한 피트니스 경험을 제공하는 전용 피트니스 앱이나 플랫폼을 개발하는 것도 포함된다.

○ 여러 플랫폼 간 호환성: 피트니스 플랫폼이 S 社 기기간에만 국한되지 않도록 하고, 다른 안드로이드 기기나 웹 브라우저, 심지어 iOS 에서도 사용할 수 있어야 하며, 이를 통해 잠재적인 사용자층이 넓어지고 더 포괄적이 될 수 있다.

○ S 社 사용자를 위한 기능: S 社 기기 사용자들에게 독특한 기능이나 혜택을 제공한다. 예를 들어, 갤럭시 워치와 특별한 통합 기능을 제공하여 사용자들이 실시간으로 자신의 피트니스 지표를 추적할 수 있도록 한다. 독점적인 워치 페이스, 고급 상태

모니터링, S社 기기와의 빠른 페어링 등이 강력한 판매 포인트가 될 수 있다.

○ 다양한 운동 내용: 라이브 클래스와 주문형 클래스 모두에 초점을 맞춰 근력 운동, 요가, HIIT, 심리 케어 등 다양한 운동 유형을 제공하며, 유명 트레이너 및 피트니스 인플루언서와의 협업을 통해 매력적인 콘텐츠를 제작한다.

○ 개인화 및 데이터 통합: S 社의 데이터 분석 기능을 활용하여 사용자 프로필, 건강 데이터 및 피트니스 목표에 따라 맞춤형 운동 권장 사항을 제공한다. 종합적인 건강 및 피트니스 경험을 위해 S社 헬스와 통합한다.

○ 경쟁력 있는 가격 책정 및 구독 모델: 경쟁력 있는 가격과 유연한 구독 모델을 제공한다. 피트니스 서비스를 S 社 Care+ 와 같은 다른 S社 서비스 또는 제품과 결합한다.

○ 고품질 생산 가치: 워크아웃 콘텐츠의 영상 및 오디오 품질을 최고 수준으로 보장하며, 전문적인 제작 가치를 통해 사용자 경험을 전반적으로 향상시킬 수 있다.

○ 협업 및 파트너십: 피트니스 브랜드, 웰니스 앱, 영양 프로그램과 협력하여 포괄적인 피트니스 및 웰니스 솔루션을 제공한다. 지역 피트니스 센터 또는 유명 트레이너와의 파트너십 또한 가치가 있다.

○ 커뮤니티 빌딩: A 社 Fitness+와 유사한 공동체 의식을 조성하고, 피트니스 여정, 성과, 팁 등을 공유할 수 있는 적극적이고 참여적인 사용자 커뮤니티를 조성한다.

○ 해외 진출: 해외시장으로 피트니스 서비스를 확대하여 보다 폭넓은 시청자층을 확보할 수 있는 방안을 고려해 볼 수 있으며, 다양한 언어로 콘텐츠를 제공하는 등의 현지화는 글로벌한 매력을 위해 매우 중요하다.

○ 사용자 환경 및 인터페이스: 직관적이고 시각적으로 매력적인 사용자 인터페이스를 제공한다. 사용자가 운동에 쉽게 접근하고 탐색하며 진행 상황을 추적하고 피트니스 계획을 사용자가 정의할 수 있도록 한다.

○ 마케팅 및 홍보: 소셜 미디어 광고, 인플루언서 파트너십, 이메일 캠페인 등 강력한 마케팅 활동에 투자하여 인지도를 높이고 사용자를 피트니스 플랫폼으로 끌어들인다.

○ 고객 지원 및 피드백: 대응력 있는 고객 지원을 제공하고 사용자의 피드백을 적극적으로 구하여 서비스를 지속적으로 개선한다.

○ 데이터 개인 정보 보호 및 보안: 사용자와의 신뢰를 구축하기 위해 최고 수준의 데이터 개인 정보 보호 및 보안을 보장한다. A 社 Fitness+와 경쟁하는 것은 중대한 도전이지만, S 社의 강점을 활용하고, 독특한 이점을 제공하며, 사용자 중심의 특징과 경험에 집중함으로써, S 社는 홈 피트니스 시장의 상당한 점유율을 개척하고, 가치 있는 경쟁자로 자리매김할 수 있을 것이다.

Epilogue 이 책을 활용하는 법

간단한 결정을 할 때에도 고려해야 할 요인들의 수가 우리의 상상을 초과한다. 마크 트웨인은 망치를 가진 자에게 모든 것들은 못처럼 보인다고 했다. 이는 앞에서 소개한 모델 이론에 잘 어울린다. 이 책은 독자들에게 세상을 보고, 이해하고 조직화 할 수 있는 방법과 모델을 제시하고자 했다.

점차 복잡하고 혼란스러운 세상에서 모델은 무엇이 중요하고 우리가 보는 것들 중 무엇을 믿어야 하는지, 무엇을 중점을 두어야 할 지를 판단하는데 도와줄 것이다.

새로운 의학 발명품 들에도 불구하고 의사들은 여전히 가장 기본적인 처방 Tool 에 의존한다. 그것은 환자의 말을 듣고 진찰하는 문진이라는 모델인 것이다. 발품을 통해 현장에서 고객의 Pain Point 를 찾고, 현장에서 해결 방안을 찾는 노력이 초일류기업 S社의 '이기는 습관을 기르는 법'이라고 믿는다.

참고문헌

김상현, “골프웨어 렌탈 업계 더 성장할 수 있을까?”, Golf journal

김준성, “비즈니스 모델 캔버스의 구조와 활용가치, 네이버 블로그

남현진, “40 일간의 산업일주: 미래시장의 통찰력을 키우는 산업견문록”, 어바웃어북, 2022.7

박대순 ,“캐즘마케팅” , 네이버블로그

윤영주, “이심전심 주인 사항으로 성장하는 AI 반려로봇”, AI 타임스, 2022.5.22

이상명 · 박병진, “린스트업: 창업 초기 기업의 실패 최소화 전략”, 벤처창업연구, dbpia.co.kr, 2014

호시우행,“세계 5 대 기업과 포노 사피엔스”, 네이버블로그

한국창업보육협회, “비즈니스 모델 캔버스의 구성”

네이버 지식백과, 지식엔진연구소, 2022

윤영주, AI 타임스, 2022.5.22

초코잡 운영사 라이잡 홈페이지

톰봇 유튜브 동영상

Taleb, Nassim Nicholas, "The Black Swan: The Impact of the Highly Improbable", Random House, 2007

Whitmore, John, "Coaching for Performance", 4th revised Edition, Nicholas Brealey Publishing, 2009

BCG Matrix, www.12manage.com/methods_bcgmatrix.html

Swiss cheese Model, www.pubmedcentral.nih.gov/

articlerender.fcgi?artid =1117770